SAP Fiori & OData Full Stack Guide for RAP

(RAP : RESTful ABAP Programming)

SAP Fiori & OData Full Stack Guide for RAP (RAP : RESTful ABAP Programming)

발 행 | 2024년 1월 8일

저 자 | 유균

펴낸이 | 한건희

펴낸곳 | 주식회사 부크크

출판사등록 | 2014.07.15(제2014-16호)

주 소 | 서울특별시 금천구 가산디지털1로 119 SK트윈타워 A동 305호

전 화 | 1670-8316

이메일 | info@bookk.co.kr

ISBN | 979-11-410-6532-4

www.bookk.co.kr

www.brdev.co.kr:8080/flp

ⓒ BR Developer Group

CONTENT

1장. 학습 준비

1 ABAP Programming Model

ABAP Programming Model은 크게 3단계로 구분될 수 있습니다. Class ABAP Programming과 ABAP Programming Model for SAP Fiori, ABAP RESTful Application Programming Model입니다.

1) Class ABAP Programming

ABAP개발자들은 ABAP Release 7.4이하에서 웹 어플리케이션을 구축하기 위해 Dynpro(Web GUI), Web Dynpro ABAP, Floorplan Manager, Business Server Page(BSP) 및 WebClient UI프레임워크와 같은 기술들을 사용하여 다양한 형태의 UI를 개발할 수 있었습니다. 필요에 따라 SAP HANA DB에 최적화된 Core Data Service(CDS View)를 사용할 수 있었고, SAP Gateway를 통해 OData Service를 생성하여 RESTful 프로토콜을 사용하는 SAPUI5 어플리케이션과 통신할 수 있었습니다.

2) ABAP Programming Model for SAP Fiori

ABAP Release 7.5 SP00부터 사용할 수 있게 된 ABAP Programming Model for SAP Fiori개발 방식은 Core Data Service(CDS View)를 직접 OData Service로 배포하거나, SAP Gateway를 통해 OData Service로 배포할 수 있었습니다. Business Object Processing Framework(BOPF)를 CDS View와 연결하여 Draft기능을 포함한 Transaction을 처리할 수 있었고, 이전 방식과 동일하게 SAP Gateway를 이용해 Referenced Data Service(RDS)방식으로도 개발할 수 있었습니다.

CDS View상단에 @OData.publish: true란 Annotation을 추가하는 것으로 대표되는 방식입니다.

3) ABAP RESTful Programming Model

ABAP RESTful Application Programming Model 혹은 RESTful ABAP Programming Model등으로 불리는 RAP개발 방식은 SAP Cloud Platform ABAP Environment release 1808부터 사용 가능하게 되었습니다.

SAP HANA에 최적화된 OData Service를 생산하여 모든 유형의 Fiori Application 개발은 물론 Web API로의 배포도 지원합니다. 기술적으로는 Core Data Service(CDS View)를 Business Object(BO)와 연결하고 Business Service를 통해 OData Service를 생성하는 방식입니다.

RAP - The big picture

개발자는 이를 위해 Core Data Service(CDS View), Behavior Definition(BDEF), Behavior Implementation(ABAP Class), Service Definition, Service Binding등의 Object를 Eclipse의 ABAP Development Toolkit(ADT)을 사용하여 개발합니다.

2 개발 환경 준비

RAP를 위해서는 Back End 개발 Tool과 Front End개발 Tool이 필요합니다. Back End개발 Tool은 당연히 Eclipse에 ABAP Development Toolkit(ADT)을 Install하여 사용합니다. 하지만 Front End개발 Tool은 몇 가지 선택지가 있습니다.

Front End개발 Tool로는 SAP Business Technology Platform(BTP)의 Business Application Studio(BAS)를 사용할 수도 있고 WebIDE Fullstack이나 Local WebIDE를 사용할 수도 있습니다. 사실 메모장에 코딩해도 동작은 합니다.

WebIDE는 Local버전이든 Fullstack버전이든, 이미 그 소명을 다했고, BAS는 비용이 들기 때문에 학습하는 사람 입장에서는 선뜻 선택하기가 곤란할 수 있습니다. 그래서 여기서는 Front End개발 Tool로 VSCode를 사용하려 합니다. BAS도 VSCode를 기반으로 개발된 Tool이기 때문에 Fiori와 관련된 편의성이 조금 떨어질 뿐, 왠만한 건 VSCode에서도 개발이 가능합니다.

"RAP개발 모델에서는 SAP GUI가 필요 없습니다." 라고 쓰고 "사실 아직은 좀 필요합니다" 라고 읽겠습니다. 하지만 앞으로 SAP GUI의 설자리는 점점 더 없어질 것이란 건 분명해 보입니다.

2.1 Eclipse와 ADT

https://www.eclipse.org/downloads/ 에서 Eclipse를 다운로드 받아 설치합니다. 설치가 완료되면 상단 메뉴의 Help->Install New Software를 통해 ABAP Development Toolkit(ADT)을 설치합니다.

Work with에 ADT URL을 입력하여 설치할 수 있는데,

https://tools.hana.ondemand.com/2023-09와같습니다. 맨 뒤에 2023-09은 ADT

버전이므로 적당한 버전을 선택하여 설치합니다.

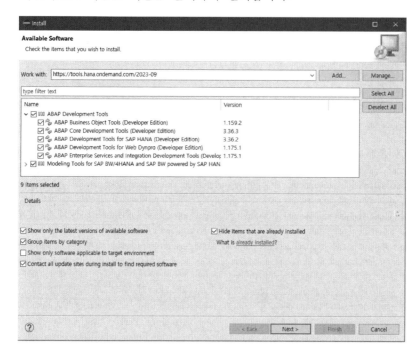

ADT까지 설치가 되면 SAP시스템을 연결합니다. Eclipse상단 메뉴의
File->New->Project->ABAP->ABAP Project를 선택합니다.

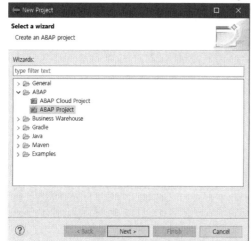

대상 시스템을 선택하고 관련 접속 정보를 입력합니다.

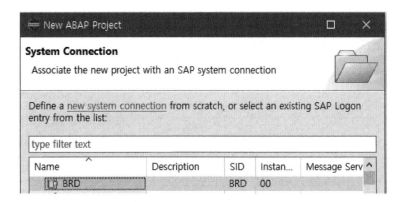

설정이 완료되면 좌측 Project Explore에 ABAP시스템이 출력됩니다. 만약
ABAP시스템이 출력되지 않는다면 오른쪽 상단의 ABAP Perspective버튼을
클릭하여 Eclipse를 ABAP개발 환경으로 지정합니다.

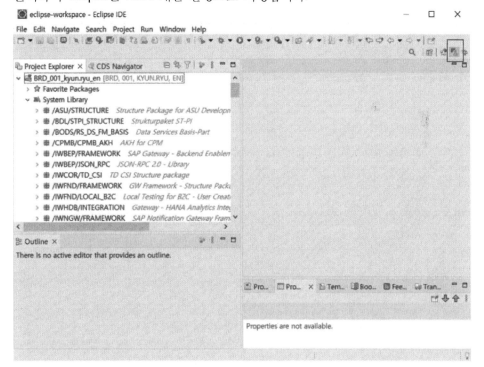

2.2 VSCode

https://code.visualstudio.com/ 에서 **VSCode**를 다운로드 받아 설치합니다. 특별
히 어려운점이 없으므로 설명은 생략합니다. 설치가 완료되면 VSCode를 실행합니
다.

실행화면 좌측에 Extension버튼을 눌러 SAP Fiori Tools – Extension Pack과 XML
Toolkit, Application Wizard를 설치합니다. SAP Fiori Tools – Extension Pack을
설치하면 관련된 Extension들이 일괄 설치됩니다.

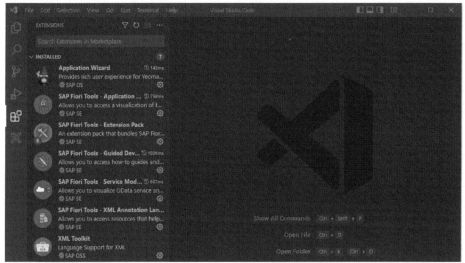

이후 필요에 따라 Theme를 지정할 수 있습니다. 전 이후 진행화면을 캡쳐 하기
위해 Hop Light Theme를 지정했습니다

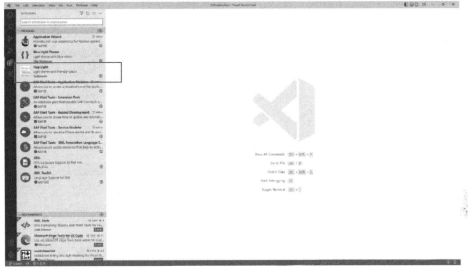

2.3 Node.js

VSCode에서 개발한 Fiori App을 실행, 배포등을 하기 위해선 Node.js가
필요합니다. https://nodejs.org/ko/download/ 에서 Node.js를 다운로드 받아
설치합니다. 설치가 완료되면 Command창에서 명령어를 통해 설치가 정상적으로
되었는지 확인합니다.

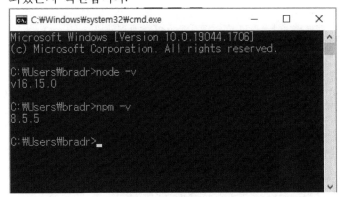

오류 메시지 없이 설치된 버전이 출력되면 정상 설치된 것입니다.

2.4 Git

Git은 필요에 따라 설치할 수 있습니다. WebIDE와는 달리 VSCode에서는 SAP시스템에 배포된 Fiori App을 Import할 수 없습니다. 개발한 Fiori App을 Git에서 관리하고, 이를 SAP시스템에 배포하는 방식으로 형상 관리를 합니다.

GitHub 계정을 생성합니다. https://github.com/ 에 접속하여 생성할 수 있습니다. GitHub계정이 생성되면 https://git-scm.com/download/ 에서 Git을 다운로드받아 PC에 설치합니다. 설치시 여러 옵션 선택이 나오는데 모두 기본 옵션으로 하고 설치합니다.

설치가 완료되면 바탕화면의 Git Bash를 실행해서 GitHub계정 생성시 지정한 사용자의 이름과 이메일을 등록합니다.

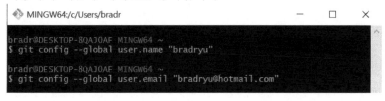

[사용자 등록 명령어]

```
MINGW64:/c/Users/bradr                                    —    □    ×

bradr@DESKTOP-8QAJOAF MINGW64 ~
$ git config --list
diff.astextplain.textconv=astextplain
filter.lfs.clean=git-lfs clean -- %f
filter.lfs.smudge=git-lfs smudge -- %f
filter.lfs.process=git-lfs filter-process
filter.lfs.required=true
http.sslbackend=openssl
http.sslcainfo=C:/Program Files/Git/mingw64/ssl/certs/ca-bundle.crt
core.autocrlf=true
core.fscache=true
core.symlinks=false
pull.rebase=false
credential.helper=manager-core
credential.https://dev.azure.com.usehttppath=true
init.defaultbranch=master
user.name=bradryu
user.email=bradryu@hotmail.com
```

[사용자 등록 확인 명령어]

3 SAP 시나리오 실행 환경 준비

https://help.sap.com을 보면 RAP 실습을 위한 Travel 시나리오가 있습니다.

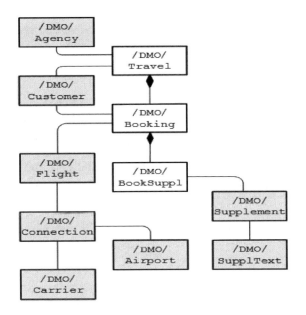

SAP는 이 시나리오를 기반으로 RAP의 여러 기능을 학습할 수 있도록 컨텐츠를 제공하는데, 여러분이 직접 따라해보며 학습할 수 있도록 훌륭하게 구성되어져 있습니다. 다만 기본적인 Package와 ABAP Dictionary Object등을 GitHub에서 다운로드 받아 시스템에 Import시켜야 실습이 가능 합니다.

이 작업을 처음 해보는 사람들, 특히 ABAP개발자들에게는 매우 난해하게 느껴질 수 있어서, 그 방법을 설명 드리려 합니다.

**** 이 책에서는 Travel 시나리오를 사용하지 않고 좀 더 단순한 실습 환경을 사용할 예정입니다. 아래는 여러분이 따로 Travel 시나리오를 학습해 보실 수 있도록 도움 드리기 위해 드리는 설명입니다.

3.1 ABAP Git설치

GitHub에 있는 Object들을 SAP시스템으로 Import하려면 SAP시스템에도 ABAP Git이 설치되어져 있어야 합니다. https://docs.abapgit.org/

ABAP개발자들에게는 Git이란 존재가 매우 낮설게 느껴질 테니 아주 단순하게만 사용하도록 하겠습니다.

1) SAP시스템의 적절한 Package(혹은 $TMP)에 ZABAPGIT_STANDALONE 프로그램을 생성합니다.

2) https://raw.githubusercontent.com/abapGit/build/main/zabapgit_standalone.prog.abap 의 소스코드를 복사해 붙여 넣고 Active합니다.

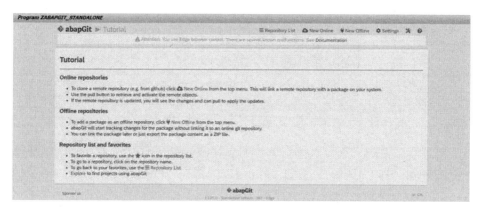

3.2 개발 Namespace세팅

Travel시나리오의 Object들은 /DMO/로 시작합니다. Z로 시작하지 않기 때문에 개발자가 /DMO/로 시작하는 Object들을 생성할 수 있도록 Namespace를 세팅해야 합니다.

1) Tcode SE09로가서 Goto->Transport Organizer Tools로 이동합니다. (Tcode SE03과 동일)

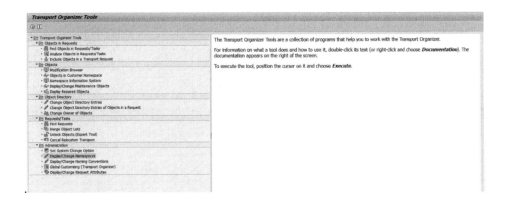

2) Administrator에서 Display/Change Namespace를 클릭합니다. (Maintenance View V_TRNSPACE와 동일)

3) Maintenance View에 신규 Entry를 추가합니다.

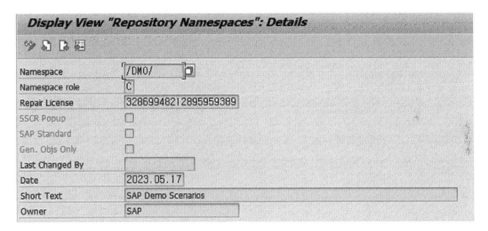

- Namespace: /DMO/

- Namespace Role: C

- Repair license: 32869948212895959389

- Short Text: SAP Demo Scenarios.

- Owner: SAP

4) 다시 Transport Organizer Tool로 가서 Administration->Set System Change Option을 선택합니다. Namespace/Name Range table에 /DMO/의 Prefix를 아래와 같이 Modifiable로 지정합니다.

Namespace/Name Range	Prefix	Modifiable	T
	/DMIS/	Modifiable ▼	/[
SAP Demo Scenarios	/DMO/	Modifiable ▼	/[

5) 신규 패키지 /DMO/FLIGHT를 생성합니다. Software Component는 HOME으로 지정합니다.

3.3 GitHub에서 개발 패키지 Import

GitHub에서 Online으로 개발 패키지를 Import할 수도 있지만, 대부분의 경우 보안상의 이유로 SAP시스템이 GitHub와 직접 연결되지 않을 것입니다. 대신 GitHub의 컨텐츠를 zip파일로 다운로드 받아 이전에 설치했던 ABAP Git을 이용해 SAP시스템에 업로드 하는 방식으로 Import하도록 하겠습니다.

1) https://github.com/SAP-samples/abap-platform-refscen-flight.git 로 이동

2) zip파일로 다운로드: 왼쪽 위 Combobox에서 버전 선택 후, 오른쪽 위 Code 버튼 클릭->Download ZIP버튼을 클릭해 PC에 Zip파일 다운로드

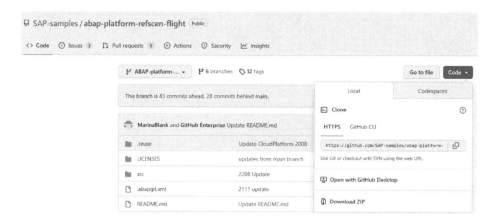

3) ABAP Git프로그램 실행

4) New Offline버튼을 클릭하여 신규 Offline Repository생성

5) 생성된 Offline Repository를 클릭하고, Import zip버튼을 클릭하여 다운로드 받은 zip파일을 Import

6) Pull zip버튼 클릭

일련의 작업이 끝나면 아래와 같이 학습용 패키지가 구성됩니다.

```
✓ 🏛 /DMO/FLIGHT (356)  SAP Demo Scenarios
  > 🏛 /DMO/FLIGHT_DRAFT (41)  /DMO/FLIGHT_DRAFT
  ✓ 🏛 /DMO/FLIGHT_LEGACY (124)  /DMO/FLIGHT_LEGACY
    > 🗐 Core Data Services (1)
    > 🗐 Dictionary (113)
    > 🗐 Enhancements (1)
    ✓ 🗐 Source Code Library (8)
      ✓ 🗐 Classes (5)
        > ⑮ /DMO/CL_FLIGHT_AMDP     AMDP Helper Class with e.g. Currency Conversion
        > ⑮ /DMO/CL_FLIGHT_DATA_GENERATOR     Flight Reference Scenario: Data Generator
        > ⑮ /DMO/CL_FLIGHT_LEGACY     Flight Reference Scenario: Legacy Business Logic
        > ⑮ /DMO/CX_FLIGHT_LEGACY     Flight Reference Scenario: Legacy Business Logic Exceptions
        > ⑮ /DMO/TC_FLIGHT_TRAVEL_API     Test function modules of /DMO/FLIGHT_TRAVEL_API
      > 🗐 Function Groups (1)
      > 🗐 Interfaces (2)
    > 🗐 Texts (1)
  > 🏛 /DMO/FLIGHT_MANAGED (31)  /DMO/FLIGHT_MANAGED
  > 🏛 /DMO/FLIGHT_READONLY (4)  Flight Reference Scenario: Read-Only E2E Guide
  > 🏛 /DMO/FLIGHT_REUSE (138)  /DMO/FLIGHT_REUSE
  > 🏛 /DMO/FLIGHT_UNMANAGED (18)  /DMO/FLIGHT_UNMANAGED
```

/DMO/FLIGHT_LEGACY패키지 하위에 Class

/DMO/CL_FLIGHT_DATA_GENERATOR를 실행하여 샘플 데이터를 생성할 수 있습니다. F9버튼을 통해 Run as ABAP Application(Console)로 실행합니다.

3.4   실습 데이터 준비

이 책에서는 위에서 Import한 SAP의 Travel 시나리오를 사용하지 않습니다. https://help.sap.com 을 개인적으로 학습해 보길 권장하면서, 그 기반작업이 난해하고 까다롭기 때문에 도움을 드리고자 설명한 것입니다.

차근차근 따라해 보시면 RAP를 이해하는데 큰 도움이 될 거라 생각합니다.

이 책에서 사용할 데이터 모델은 SAP에서 테스트용으로 제공하는 EPM Model입니다. 테이블 SNWD_SO를 검색한 후 데이터가 있는지 확인합니다

🏛 Data Preview					
🔎 find pattern	⬚ No rows retrieved - 13 ms				
ᴬᴮ CLIENT	ᴬᴮ NODE_KEY	ᴬᴮ SO_ID	ᴬᴮ CREATED_BY	12 CREATED_AT	ᴬᴮ CHANGED_BY

만약 위와 같이 데이터가 존재하지 않는다면 실습을 위해 데이터를 생성해야
합니다. SAP에서 제공하는 프로그램 SEPM_DG_EPM_STD_CHANNEL을
기본값으로 실행합니다.

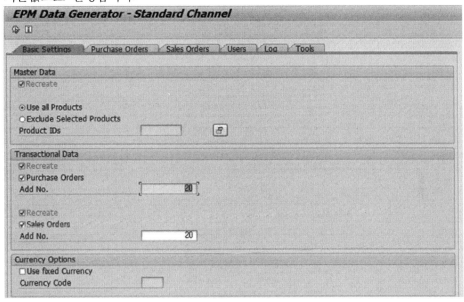

프로그램이 실행 완료되면 테이블에 데이터가 생성되고 관련된 기본 Object들도
생성됩니다

SNWD_SO테이블은 Z나 Y로 시작하지 않는 Standard Table이기 때문에 향후 학
습을 진행하면서 그 구조를 변경할 수가 없습니다. (학습 과정 중 필요에 의해
Key값을 변경해야 하는 경우가 있습니다.) 그래서 SNWD_SO테이블을 복사하여
ZSNWD_SO테이블을 생성하고, 데이터도 동일하게 Copy하도록 합니다.

2장. Read-Only 시나리오

가장 단순한 형태의 Read-Only Report App을 만들어 보면서 RAP의 기본 개념을 학습하도록 하겠습니다. Fiori Element중 List Report형태의 App으로 CDS View에 Annotation을 추가하여 UI를 구성할 수 있습니다. Annotation을 가장 단순한 기능 위주로만 학습하고, 좀 더 확장성 있는 기능은 이 책의 후반 부에 추가적으로 다룰 예정입니다.

1 CDS View로 OData Service생성

Database Table에서 데이터를 추출할 수 있도록 CDS View를 먼저 생성해 보겠습니다. 이전 개발 방식인 ABAP Programming Model for SAP Fiori에서는 CDS View를 3개 유형으로 구분했습니다.

Basic View, Composite View, Consumption View입니다.

하지만 RAP에서는 CDS View를 2단계로 간소화하였습니다. Interface View와 Projection View입니다.

1) Interface View: Database Table이나 다른 CDS View와의 연결을 정의하는 View입니다. 또 다른 CDS View들에게 데이터 소스를 제공하는 형태로 재 사

용되기 위한 기본 View라고 생각하시면 됩니다.

2) Projection View: Interface View에서 제공하는 필드나 데이터를 외부 세계에 Projection하기 위해 사용되는 View입니다. 용도에 따라 필요한 계산식이나 필터 조건이 추가될 수 있습니다.

이렇게만 설명 드리면 쉽게 감이 잡히지 않을 수 있습니다. 예시를 들어보자면, Business Partner(BP) Table에 대한 Interface View를 만들고 이를 Customer, Vender, Employer등으로 Projection하는 Projection View를 만드는 형태로 계층화 할 수 있습니다. 혹은 공통 코드 테이블을 Interface View로 만들고, 각 코드 그룹 별로 Projection View를 만들어 필드명을 Alias로 변경시켜 사용할 수도 있겠습니다.

이제 각 단계별로 실습을 하겠습니다.

1.1 Interface View

새로운 CDS View Zbr_I_SalesOrder를 생성합니다. Eclipse ADT에서 패키지에 마우스 오른클릭을 하고 New->Other ABAP Repository Object->Core Data Services->Data Definition을 선택합니다. (시스템 버전에 따라 메뉴 경로가 다를 수 있습니다.)

CDS View의 ID와 Description을 입력하고 CTS Request를 지정하고 나면, CDS View의 종류를 선택하는 화면이 나오는데, Define Root View Entity를 선택합니다.

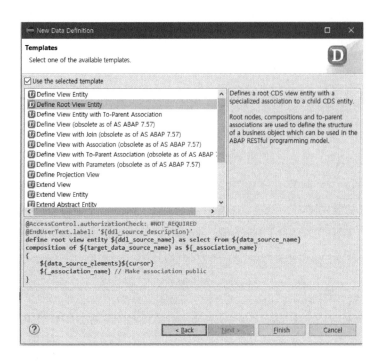

ABAP Programming Model for SAP Fiori 개발 방식에서 사용하던 CDS View들은 ABAP 7.57부터 obsolete표시가 추가되었습니다. 사용할 수 없는 건 아니지만 권장하지는 않는 방식이고, 이 CDS View들로는 RAP방식의 OData를 생성할 수 없습니다. RAP는 View Entity방식으로 개발된 CDS View만 사용이 가능합니다.

```
@AccessControl.authorizationCheck: #NOT_REQUIRED
@EndUserText.label: 'Sales Order'
define root view entity Zbr_I_SalesOrder
  as select from zsnwd_so
  association [1..*] to sepm_sddl_salesorder_item
  as items
  on $projection.sales_order_key = items.sales_order_key
  association [0..1] to sepm_sddl_employees
  as created_by_employee
  on $projection.created_by_key =
created_by_employee.employee_key
  association [0..1] to sepm_sddl_employees
  as changed_by_employee
  on $projection.changed_by_key =
changed_by_employee.employee_key
  association [1..1] to tcurc
  as currency
```

```
  on $projection.currency_code = currency.waers
{
  key node_key                    as sales_order_key,
      so_id                       as sales_order_id,
      created_by                  as created_by_key,
      changed_by                  as changed_by_key,
      created_at,
      changed_at,
      created_by_employee.employee_id as created_by_id,
      changed_by_employee.employee_id as changed_by_id,
      note_guid                   as note_key,
      op_id                       as sales_opportunity_id,
      currency_code,
      gross_amount,
      net_amount,
      tax_amount,
      lifecycle_status,
      billing_status,
      delivery_status,
      buyer_guid                  as buyer_key,
      created_by_employee.first_name,
      created_by_employee.email_address,
      created_by_employee.phone_number,

      // association
      created_by_employee,
      changed_by_employee,
      items
}
```

**Association이란 구문은 일종의 Join과 같은 구문입니다. join구문과의 차이점은 Lazy join이란 점과, 서로 association관계로 묶이는 두 Entity(Table or CDS View) 간에 Cardinality를 명시한다는 점, 이를 이용해 Entity간 이동이 가능하다는 점 등입니다.*

Lazy join은 select구문에 필드가 실제로 사용되기 전까지는 join연산이 일어나지 않기 때문에 경우에 따라 연산 속도가 빨라지게 됩니다.

1.2 Projection View

새로 생성한 Root Interface View인 Zbr_I_SalesOrder를 Projection하는

Projection View Zbr_P_SalesOrder를 생성해 보겠습니다.

Interface View와 동일하게 신규 CDS View를 생성하되, Template은 Define Projection View를 선택합니다.

```
@AccessControl.authorizationCheck: #NOT_REQUIRED
@EndUserText.label: 'Sales Order'
define root view entity Zbr_P_SalesOrder
  provider contract transactional_query
  as projection on Zbr_I_SalesOrder
{
  key sales_order_key,
      sales_order_id,
      created_by_key,
      changed_by_key,
      created_at,
      changed_at,
      created_by_id,
      changed_by_id,
      note_key,
      sales_opportunity_id,
      currency_code,
      gross_amount,
      net_amount,
      tax_amount,
      lifecycle_status,
      billing_status,
      delivery_status,
      buyer_key,
      first_name,
      email_address,
      phone_number,

      /* Associations */
      changed_by_employee,
      created_by_employee,
      items
}
```

provider contract transactional_query란 구문은 Projection View의 용도를 명시하는 것으로 기본 값이 provider contract transactional_query입니다.

Transactional_query는 RAP Business Object(BO)에서 사용하기 위한 용도란 뜻입니다.

이 외에도 transactional_interface가 있는데 이 유형은 공통기능으로 생성하여 다른 RAP BO나 ABAP프로그램등에서 사용할 수 있는 형태의 Projection View를 생성할 때 사용할 수 있고, analytical_query는 분석 큐브를 만들 때 사용합니다.

1.3 Service Definition

CDS View를 OData Service로 정의하는 Service Definition을 생성해 보겠습니다. RAP에서 새로 추가된 Object로 여러 CDS View를 하나의 OData Service의 Entity로 묶어 주는 역할을 합니다. 즉, 1개의 OData Service에는 여러 CDS View가 Entity로 연결될 수 있는 구조입니다.

패키지에 마우스 오른클릭을 하고 New->Other ABAP Repository Object->Business Services->Service Definition을 선택합니다.

ID는 Zbr_D_Sales로 하고 적절한 Description을 입력합니다.

```
@EndUserText.label: 'Sales'
define service Zbr_D_Sales {
  expose Zbr_P_SalesOrder as Orders;
}
```

Projection View Zbr_P_SalesOrder를 Orders란 이름으로 Expose했습니다. 여기에 필요에 따라 여러 CDS View를 Expose할 수 있습니다. 반드시 Projection View만 Expose할 수 있는 건 아니고, Root로 선언된 모든 CDS View Entity는 Expose할 수 있습니다. 하지만 되도록 Projection View를 Expose하도록 합니다.

1.4 Service Binding

신규 Service Binding을 생성하여 Service Definition을 OData Service로 바인딩하겠습니다. 하나의 Service Definition은 버전과 용도에 따라 여러 OData Service로 재사용될 수 있습니다.

패키지에 마우스 오른 클릭을 하고 New->Other ABAP Repository Object-

>Business Services->Service Binding을 선택합니다.

ID는 Zbr_B_Sales로 하고 적절한 Description을 입력합니다.

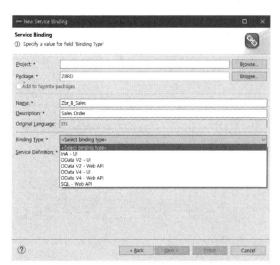

Binding Type을 보면 여러 종류가 있는데 크게 버전(V2 or V4)과 용도(UI or API)로 구분이 됩니다. OData 버전에 따라 내부 동작 방식이나 호출 방법이 다르기 때문에 구분이 필요하고, 화면과 연계할 OData인 경우 UI를, 단순 API로만 사용한다면 API를 선택하면 됩니다.

여기서는 OData V4 – UI를 사용하겠습니다. UI와 연동할 OData이고, 새로운 표준인 V4버전으로 학습하기 위해서입니다. 다만 경우에 따라 아직 OData V4에서 지원하지 않는 기능이나 OData V2와는 다르게 동작하는 경우에 대한 설명이 필요할 수 있습니다. 이런 경우에는 OData V2로 설명 드릴 예정입니다.

Service Definition에는 이전 단계에서 생성한 Zbr_D_Sales를 입력합니다.

생성된 Service Binding을 Active하고 Publish버튼을 클릭해 OData Service를 외부에 노출합니다.

시스템 환경에 따라, ADT에서 직접 Publish가 안되는 경우가 있습니다.

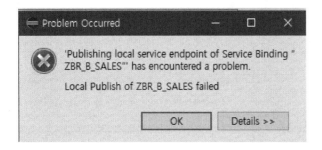

이런 메시지가 출력되면서 오류 나는 경우가 있는데, 이런 경우 T-code /IWFND/V4 ADMIN에서 직접 Publish해 주어야 합니다.

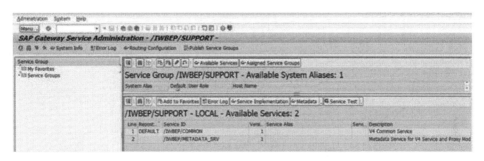

상단에 Publish Service Groups버튼을 클릭하고

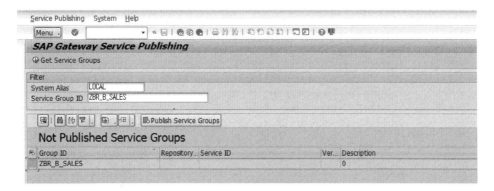

System Alias에는 LOCAL, Service Group ID에는 Service Binding ID를 넣고 검색

한다음, Publish Service Groups버튼을 클릭합니다.

Publish는 Customizing Request에 묶이게 되는데, ADT에서는 Workbench Request만 처리할 수 있는 경우 이런 문제가 발생합니다.

이제 Service Binding을 다시 열어보면, 정상적으로 Publish상태로 보여지고 오른쪽에는 상세 정보가 출력됩니다.

2   List Report Preview

Service Binding ZBR_B_SALES의 상세 정보에서 Preview버튼을 클릭해 보겠습니다.

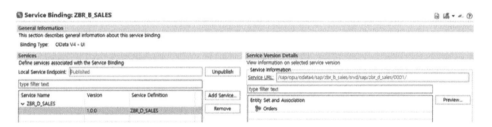

우리가 만든 OData Service는 UI용 이기 때문에 Preview기능을 제공합니다. Preview를 클릭하면 Fiori Element중 List Report형태로 OData Service가 정상 동작하는지 확인할 수 있습니다.

여러분은 CDS View에 아무런 Annotation도 추가하지 않았기 때문에 빈 화면이

출력될 것입니다.

OData Service는 Annotation이란 것을 포함할 수 있고, 이 Annotation을 통해 SAPUI5는 적절하게 화면을 출력하게 됩니다. 특히나 Fiori Element의 경우 Annotation만 잘 알아도 강력한 기능의 화려한 Fiori App을 개발할 수 있습니다.

2.1   Search & Line Item

화면 상단에 검색조건을 추가하고, 하단에는 Grid를 출력하는 일반적이 Web화면을 구성해 보겠습니다. 이런 화면을 구성하기 위해서는 CDS View에 @UI.selectionField와 @UI.lineItem이란 Annotation을 사용하여야 합니다.

Projection View Zbr_P_SalesOrder를 아래와 같이 수정합니다.

```
@AccessControl.authorizationCheck: #NOT_REQUIRED
@EndUserText.label: 'Sales Order'
define root view entity Zbr_P_SalesOrder
  provider contract transactional_query
  as projection on Zbr_I_SalesOrder
{
  key sales_order_key,
     @UI:{ lineItem: [ { position:10 } ],
          selectionField: [{ position:10 }] }
     sales_order_id,
     created_by_key,
     changed_by_key,
     @UI.lineItem:[{position: 20}]
     created_at,
     @UI.lineItem:[{position: 30}]
```

```
    changed_at,

    created_by_id,

    changed_by_id,

    note_key,

    @UI.lineItem:[{position: 40}]

    sales_opportunity_id,

    @UI.lineItem:[{position: 50}]

    currency_code,

    @UI.lineItem:[{position: 60}]

    gross_amount,

    @UI.lineItem:[{position: 70}]

    net_amount,

    @UI.lineItem:[{position: 80}]

    tax_amount,

    @UI:{ lineItem: [ { position:90 }],

        selectionField: [{ position:20 }] }

    lifecycle_status,

    @UI.lineItem:[{position: 100}]

    billing_status,

    @UI.lineItem:[{position: 110}]

    delivery_status,

    buyer_key,

    @UI:{ lineItem: [ { position:120 } ],

        selectionField: [{ position:40 }] }

    first_name,

    @UI.lineItem:[{position: 130}]
```

```
        email_address,

        @UI.lineItem:[{position: 140}]

        phone_number,

        /* Associations */

        changed_by_employee,

        created_by_employee,

        items

}
```

Annotation은 Interface View든 Projection View든 CDS View에는 모두 추가할
수 있습니다. 만약 Interface View에 Annotation을 사용하면 해당 Interface View
를 사용하는 모든 Projection View는 해당 Annotation기능을 공유하게 됩니다. 즉,
Annotation은 상속관계를 가진다는 뜻입니다. 만약 Interface View에 Annotation
이 존재하는데 다시 Projection View에 Annotation을 추가한다면, 흔히 상속관계
에 존재하는 Override가 발생하여 Projection View의 Annotation이 적용됩니다.

또한 Annotation은 Json형식의 데이터와 마찬가지로 동일한 namespace에 대해
선 묶어서 처리할 수 있습니다. selectionField와 lineItem은 모두 UI라는
namespace에 속하므로 sales_order_id필드에 적용한 Annotation처럼 중괄호로
묶어서 한번에 표현할 수 있습니다.

이제 Service Binding의 Preview를 실행하면 검색 조건과 Grid가 출력되는 것을
확인할 수 있습니다.

**만약 Preview 결과에 변화가 없다면 Service Binding의 Properties-
>Description을 살짝 수정하고 Active한뒤 다시 테스트 해보시기 바랍니다. ADT
버전에 따라 Annotation수정사항이 바로 반영되지 않는 경우가 있습니다.

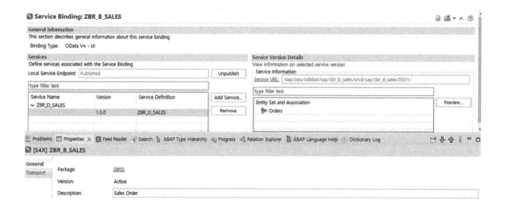

2.2 Object Page

출력된 Grid에서 한 라인을 선택하면 상세 화면으로 이동합니다. 상세화면을 Object Page라고 부릅니다.

지금은 빈 화면이 출력 될 텐데, Object Page 구성을 위한 Annotation이 없기 때문입니다.

아래와 같이 Annotation을 추가해 보겠습니다.

```
@AccessControl.authorizationCheck: #NOT_REQUIRED
@EndUserText.label: 'Sales Order'

@UI:{ headerInfo: {

    typeNamePlural: 'Sales Orders', //List 헤더 타이틀

    typeName: 'Sales Order', //App 타이틀

    title:{ value: 'sales_order_id' }, //Object page 타이틀

    description:{ value: 'first_name' }}//Object page 서브타이틀

}
define root view entity Zbr_P_SalesOrder
  provider contract transactional_query
  as projection on Zbr_I_SalesOrder
{
    @UI.facet: [{ id: 'idSalesGroup',
```

36

```
                    purpose: #STANDARD,
                    type: #FIELDGROUP_REFERENCE,
                    label: 'Sales Info',
                    targetQualifier: 'qfSalesInfo'
                }
        ]

  key sales_order_key,
      @UI:{ lineItem: [ { position:10 } ],
           selectionField: [{ position:10 }] }
      @UI.fieldGroup: [{ qualifier: 'qfSalesInfo',
                        position: 10 }]
      sales_order_id,
...

      @UI.lineItem:[{position: 40}]

      @UI.fieldGroup: [{ qualifier: 'qfSalesInfo',

                        position: 20 }]

      sales_opportunity_id,

      @UI.lineItem:[{position: 50}]

      currency_code,

      @UI.lineItem:[{position: 60}]

      @UI.fieldGroup: [{ qualifier: 'qfSalesInfo',

                        position: 30 }]

      gross_amount,

      @UI.lineItem:[{position: 70}]

      @UI.fieldGroup: [{ qualifier: 'qfSalesInfo',

                        position: 40 }]

      net_amount,

      @UI.lineItem:[{position: 80}]

      @UI.fieldGroup: [{ qualifier: 'qfSalesInfo',

                        position: 50 }]
```

```
    tax_amount,

    @UI:{ lineItem: [ { position:90 } ],

        selectionField: [{ position:20 }] }

    @UI.fieldGroup: [{ qualifier: 'qfSalesInfo',

                    position: 60 }]

    lifecycle_status,

...
```

Define view 상단과 key field 상단, 그리고 상세 페이지에 출력하고자 하는 필드들에 @UI.fieldGroup이란 Annotation을 추가하였습니다.

**이 책의 후반부에서 Annotation에 대해 자세히 다룰 예정입니다.

3 List Report

지금까지 Service Binding의 Preview기능을 통해 OData Service가 정상적으로 동작하는지 확인해 봤습니다. 이제 실제 배포될 사용자용 Fiori App을 생성해서 OData Service와 연동해 보도록 하겠습니다.

3.1 Fiori Application Generator

VSCode를 실행하고 F1키를 눌러 Command Palette를 실행합니다. Command Palette에서 Fiori: Open Application Generator를 검색하여 선택합니다.

VSCode설치시 Extension으로 Application Wizard를 설치했기 때문에 연관된 Floorplan선택 화면이 출력됩니다. 여기서 List Report Page를 선택합니다.

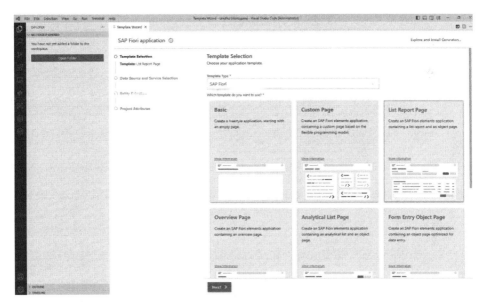

Data Source와 Service를 선택하는 화면에서 Data source를 Connect to an OData Service로 선택하고, OData service URL에는 이전 단계에서 생성한 OData Service의 URL(Full path)을 입력합니다.

**VSCode에 시스템을 등록한다음 시스템을 기반으로 List Report를 생성하는 경우 OData V2만 선택이 가능합니다. V4는 지원하지 않기 때문에 직접 OData 서비스 주소를 입력하여 List Report를 생성하여야 합니다.

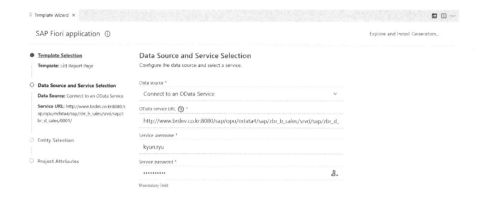

OData Service의 URL은 Eclipse에서 Service Binding상세 화면에서 확인할 수 있습니다.

파란색으로 링크 표시된 Service URL을 클릭하면 브라우저를 통해 접속 주소를 알 수 있습니다.

http://www.brdev.co.kr:8080/sap/opu/odata4/sap/zbr_b_sales/srvd/sap/zbr_d_sales/0001/와 같이 도메인 호스트가 포함된 전제 주소를 입력해야 합니다.

다음 화면에서는 Service Definition에서 Expose한 Alias명으로 CDS View가 Main entity로 표시됩니다.

40

Main entity를 Orders로 지정하고 다음 버튼을 누릅니다.

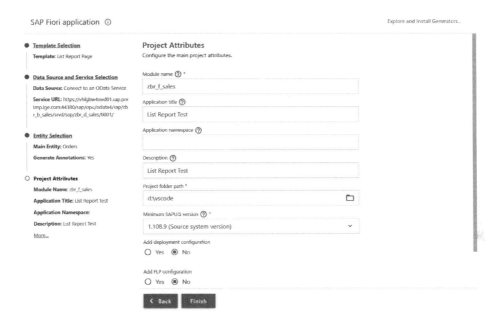

Module name에 Fiori App의 ID를 입력합니다. 이후 SAP시스템에 배포되는 Project이므로 Z나 Y로 시작하는 소문자로만 구성된 ID를 입력합니다. 또한 전체 자리 수를 15자리 이하로 하도록 합니다. 15자리가 넘어가도 Fiori App이 생성은 되지만, 향후 SAP시스템에 배포할 땐 15자리 이하의 id를 새로 지정해야만 하게 됩니다. 그러면 Fiori App ID와 배포된 SAP Repository ID가 달라지게 되어 관리 상 불편이 있을 수 있습니다.

Finish 버튼을 클릭하면 List Report가 자동으로 생성됩니다.

이제 실행을 해보겠습니다. 상단 Terminal메뉴을 클릭하고 New Terminal을 선택하여 Windows PowerShell을 실행합니다. cd명령어로 디렉토리를 해당 프로젝트로 이동하고 npm start명령어로 Fiori App을 실행합니다.

아래와 같이 Preview와 동일한 List Report App이 실행됩니다.

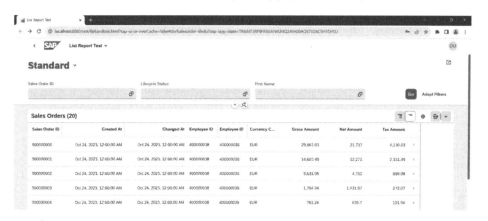

**사용자의 시스템 환경에 따라 아무 데이터도 안 나오고 빈 화면만 출력될 수 있습니다. 이럴 땐 ui5.yaml파일에 ignoreCertError값을 true로 변경하고 다시 실행해 보시기 바랍니다.*

```
:br_f_salesorder > ! ui5.yaml
   9        - name: fiori-tools-proxy
  10          afterMiddleware: compression
  11          configuration:
  12            ignoreCertError: true # If set to true,
```

또한 *manifest.json*파일에 *minUI5Version*에 지정된 값이 사용 가능한 버전이지 확인하여 사용 가능한 버전으로 지정하시기 바랍니다. 이 책에서는 *1.102.8*버전을 사용하고 있습니다.

```
{} manifest.json  ✕

zbr_f_salesorder > webapp > {} manifest.json > {} sap.ui5 > {} dependencies
  55        "sap.ui5": {
  56          "flexEnabled": true,
  57          "dependencies": {
  58            "minUI5Version": "1.102.8",
```

사용자 환경변수에 *NODE_TLS_REJECT_UNAUTHORIZED* 를 *0*으로 추가해야 하는 경우도 있습니다. 이는 계정의 네트워크 대역이나 서버의 설정등에 따른 것이기 때문에 필요에 따라 설정하거나 하지 않아도 됩니다. (윈도우 키 -> "환경 변수" 검색 -> 계정의 환경변수편집 -> 시스템변수 신규 추가 -> 시스템 재 부팅)

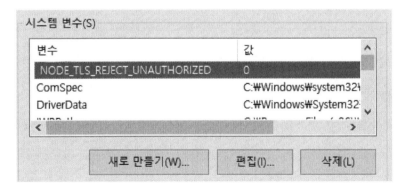

3.2 Fiori App 배포

새로 개발한 Fiori App을 SAP시스템에 배포해 보도록 하겠습니다.

우선 대상이 되는 시스템을 먼저 등록하고, 신규 App을 배포할 때 최초 1회 Deploy Config를 수행해야 합니다. 그 후 필요에 따라 Deploy하면 됩니다.

1) 시스템등록: F1키를 눌러 Command Palette를 실행합니다. Fiori : Add SAP System을 찾아 실행합니다.

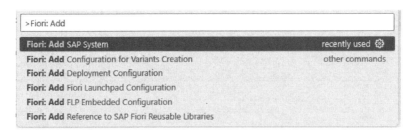

시스템의 정보를 입력하고 저장합니다.

SAP Systems ✕

SAP System Details
New SAP System

System Type *

    ABAP On Premise   ⌄

System Name *

    BRD

URL *

    http://www.brdev.co.kr:8080/

Client

    001

Username

    kyun.ryu

Password

    ••••••••••

  Test Connection   Save

This SAP system connected successfully and OData V2 services were retrieved successfully. The OData V4 catalog request failed to return any services.

시스템이 VSCode에 등록되면 이후 Fiori App을 만들때도 OData Service URL을 직접 입력하는 대신 등록된 시스템에서 OData Service를 찾아서 사용할 수 있게 됩니다. (OData V2만 가능)

2) Deploy Config: Terminal에서 npm run deploy-config명령어를 실행합니다.

설정 값 대로 Fiori App프로젝트 하위에 ui5-deploy.yaml파일이 생성됩니다.

3) Ui5-deploy.yaml파일이 생성되면 npm run deploy명령어로 Fiori App을 SAP

시스템에 Deploy합니다.

```
PROBLEMS    OUTPUT    DEBUG CONSOLE    TERMINAL

  run `npm fund` for details

found 0 vulnerabilities
PS D:\vscode\zbr_f_sales> npm run deploy

> zbr_f_sales@0.0.1 deploy
> npm run build && fiori deploy --config ui5-deploy.yaml && rimraf archive.zip


> zbr_f_sales@0.0.1 build
> ui5 build --config=ui5.yaml --clean-dest --dest dist
```

Deploy가 정상적으로 완료되면 Tcode SICF를 통해 Service Node가 생성된 것을 확인할 수 있습니다.

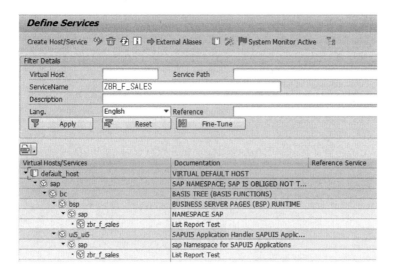

이번 장에서는 OData Service를 만들기 위해 CDS View와 Service Definition, 그리고 Service Binding이란 Object들을 생성해 보았습니다. List Report라는 Fiori Element를 만들어서 OData Service가 정상적으로 동작하는지 Test해 보았고, Fiori App을 SAP시스템으로 배포하는 방법도 알아봤습니다.

이후 학습할 내용들의 가장 기초가 되는 공통적인 내용들이기 때문에 반드시 숙지하시기 바랍니다.

46

3장. Managed 시나리오

OData Service를 CDS View 기반으로 만들있고, CDS View는 특정 DB Table을 기반으로 만들었으니 Maintenance View처럼 데이터가 자동으로 입력/수정/삭제/조회되게 할 수는 없을까요?

그 방법이 managed시나리오입니다.

managed시나리오에서는 개발자가 따로 비즈니스 로직을 코딩할 필요 없이 입력/수정/삭제/조회 기능을 자동으로 제공해 줍니다. 심지어 Draft라고 하는 임시 저장 기능까지도 코드 한두 줄로 사용할 수 있습니다.

1   Create / Update / Delete

가장 기본적인 기능인 Create, Update, Delete기능을 추가해 보도록 하겠습니다. 이러한 Transaction기능은 CDS View에 Behavior란 Object를 추가하여 구현하게 됩니다.

CDS View Zbr_I_SalesOrder에 마우스 오른클릭->New Behavior Definition을 선택합니다.

Name:	ZBR_I_SALESORDER
Description: *	Sales Order
Original Language:	EN
Root Entity: *	ZBR_I_SALESORDER
Implementation Type: *	Managed

Description에 적절한 내용을 입력하고, Implementation Type을 Managed로 선택합니다. 다른 소스코드는 자동 생성된 대로 두고, persistent table만 ZSNWD_SO로 지정합니다.

```
managed implementation in class zbp_br_i_salesorder unique;
strict ( 2 );


define behavior for Zbr_I_SalesOrder //alias <alias_name>
persistent table zsnwd_so
lock master
authorization master ( instance )
//etag master <field_name>
{
  create;
  update;
  delete;
}
```

Behavior Definition은 말그대로 선언만 한 것이고, 실제 로직은 Implementation Class에 작성하여야 합니다. 첫 줄에 자동 지정된 Implementation Class인 zbp_br_i_salesorder는 실제 생성까진 되지 않았습니다. Class명에 마우스 커서를 올려 놓고 오른클릭->Quick Fix를 클릭하면

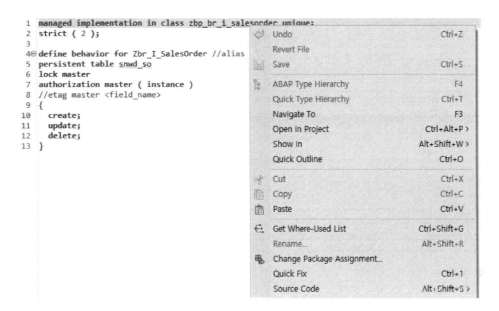

```
1  managed implementation in class zbp_br_i_salesorder unique;
2  strict ( 2 );
3
4  define behavior for Zbr_I_SalesOrder //alias
5  persistent table snwd_so
6  lock master
7  authorization master ( instance )
8  //etag master <field_name>
9  {
10   create;
11   update;
12   delete;
13 }
```

Undo .... Ctrl+Z
Revert File
Save .... Ctrl+S
ABAP Type Hierarchy F4
Quick Type Hierarchy .... Ctrl+T
Navigate To F3
Open in Project .... Ctrl+Alt+P ›
Show In .... Alt+Shift+W ›
Quick Outline .... Ctrl+O
Cut .... Ctrl+X
Copy .... Ctrl+C
Paste .... Ctrl+V
Get Where-Used List .... Ctrl+Shift+G
Rename... .... Alt+Shift+R
Change Package Assignment...
Quick Fix .... Ctrl+1
Source Code .... Alt+Shift+S ›

아래와 같이 Pop up창에

Create behavior implementation class zbp_br_i_salesorder란 링크가 나옵니다.

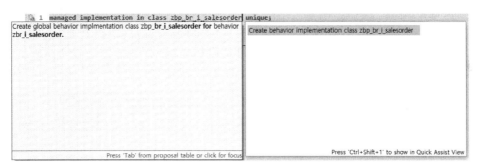

이 링크를 더블 클릭하면 자동으로 Class를 생성해 줍니다. 이 Class를 Behavior Pool 혹은 Behavior Implementation Class라고 부릅니다. Class는 자동 생성된 상태로 Active만 합니다.

이제 List Report를 실행해 보겠습니다.

네! 아무런 변화가 없습니다.

Behavior Definition은 CDS View마다 생성되기 때문에 Projection View에도 생성

해 주어야 합니다. 그래야 Projection View를 기반으로 동작하는 OData Service와, 이 OData Service를 사용하는 Fiori App도 Behavior의 기능을 사용할 수 있습니다.

Zbr_P_SalesOrder도 Interface View와 동일한 방식으로 Behavior Definition을 생성합니다.

Name:	ZBR_P_SALESORDER
Description: *	Sales Order
Original Language:	EN
Root Entity: *	ZBR_P_SALESORDER
Implementation Type: *	Projection

Implementation Type은 Projection으로 합니다.

```
projection;
strict ( 2 );
define behavior for Zbr_P_SalesOrder //alias <alias_name>
{
  use create;
  use update;
  use delete;
}
```

실제 기능은 Interface View의 Behavior에서 하기 때문에 Projection Behavior Definition은 단순한 형태가 됩니다. 단, Interface Behavior Definition에서 정의한 기능(create/update/delete)을 외부에 Projection할지를 결정합니다.

다시 VSCode에서 List Report를 실행해 보면 Grid상단과 상세 화면 상단에 Delete버튼이 생성된 것을 볼 수 있습니다.

Create와 Update는요?

OData V2와는 달리 OData V4에서는 Draft기능이 활성화되어야 List Report에서 Create와 Update기능을 사용할 수 있습니다.

Draft기능은 다음 장에서 설명할 예정이니 여기서는 OData V2로 Create와 Update기능을 확인해 보도록 하겠습니다.

RAP방식의 특징 중 하나는 여러 Object들이 연결되어지면서 OData Service로 노출된다는 것입니다. 이로 인해 여러 종류의 Object들을 만들어야 한다는 단점이 있는 반면, OData V4로 노출된 Object들을 Service Binding만 새로 생성하면 V2로도 동작하게 할 수 있다는 장점도 있습니다.

신규 Service Binding을 OData V2 – UI Type으로 생성합니다. Source가 되는 Service Definition은 OData V4와 동일한 ZBR_D_SALES로 합니다.

생성된 OData V2 Service Binding을 Active하고 Publish도 합니다. OData V2는 Eclipse ADT에서도 Publish할 수 있습니다.

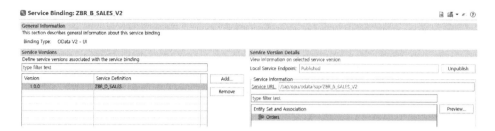

Orders Entity에 대해 Preview를 해보면 Create와 Edit버튼이 활성화되고, 정상적으로 동작하는 것을 확인할 수 있습니다.

Object Page에서 Edit버튼을 누르면 수정되지 말아야 할 필드까지 수정모드로 열리는 등 정상적이지 않은 상태입니다. 이후 학습과정을 통해 이러한 문제점들을 보완해 나갈 예정입니다.

2 Mapping

기능이 잘 동작하는지 데이터를 변경해 보겠습니다. Lifecycle Status값과, Net Amount 그리고 Opportunity ID 값을 변경해 보겠습니다.

저장 후 화면을 새로고침 해 보면, Net Amount와 Lifecycle Status값은 변경됐으나 Opportunity ID값은 변경되지 않은 것을 확인할 수 있습니다.

Behavior에 persistence table로 지정한 ZSNWD_SO의 필드명과 OData Service를 통해 외부로 노출된 Property명이 다르기 때문입니다. CDS View에서 필드명에 Alias를 준 경우입니다.

Opportunity ID는 OP_ID란 필드를 sales_opportunity_id로 Alias했었습니다. 이렇게 CDS View에서 Alias준 필드들은 RAP의 BO가 자동으로 매핑을 할 수 없기 때문에 Behavior Definition에서 Mapping을 정의해 주어야 합니다.

Interface View의 Behavior definition에 아래와 같이 Mapping을 추가합니다.

```
delete;
mapping for zsnwd_so corresponding
{
  sales_order_key = node_key;
```

```
    sales_order_id = so_id;

    sales_opportunity_id = op_id;

  }

}
```

Table과 CDS View의 필드명이 동일한 경우 corresponding구문을 통해 자동으로 매핑 되고, 그 외의 필드에 대해선 하나씩 매핑을 추가해야 합니다. 특히 Key필드의 경우 매핑이 되지 않으면 Key값을 찾지 못해 덤프가 발생하게 되기 때문에 Key필드에 Alias를 준경우는 반드시 매핑 해주어야 합니다.

매핑은 Create/Update등 데이터 변경과 관련된 로직에서 필요한 것이기 때문에 Create/Update와 관련 없는 필드는 Alias됐다 해도 매핑 정의를 하지 않아도 무방합니다.

이제 필드 값을 수정하면 정상적으로 반영되는 것을 확인할 수 있습니다.

3 Draft

Draft는 임시 저장 기능입니다. 입력해야 하는 데이터가 많은 경우 웹의 특성상 데이터 입력이 비정상적으로 종료되거나 데이터가 유실될 수 있습니다. 이러한 경우를 대비할 수 있는 기능이 Draft기능입니다. 기술적으로는 대상 테이블별로

Draft테이블을 생성하여 Draft테이블에 데이터를 수시로 임시 저장하고, 최종적으로 대상 테이블로 데이터를 옮기는 방식입니다.

Interface View의 Behavior를 아래와 같이 수정합니다. draft table zsnwd_so_d를 추가했습니다.

```
managed implementation in class zbp_br_i_salesorder unique;
strict ( 2 );
with draft;
define behavior for Zbr_I_SalesOrder //alias <alias_name>
persistent table zsnwd_so
draft table zsnwd_so_d
authorization master ( instance )
//etag master <field_name>
{
  create;
  update;
  delete;
…
```

물리적인 Draft테이블을 생성해야 하므로 zsnwd_so_d에서 마우스 오른클릭->Quick Fix기능을 이용하여 Draft테이블을 생성합니다.

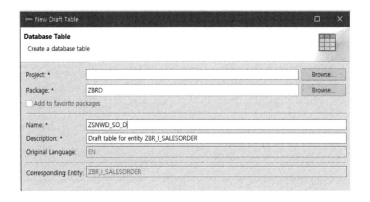

기본적으로 zsnwd_so테이블과 동일할 필드들이 생기고 맨 뒤에 Draft기능을 위한 %admin필드가 sych_bdl_draft_admin_inc 구조로 추가되어 있습니다.

```
 1  @EndUserText.label : 'Draft table for entity ZBR_I_SALESORDER'
 2  @AbapCatalog.enhancement.category : #EXTENSIBLE_ANY
 3  @AbapCatalog.tableCategory : #TRANSPARENT
 4  @AbapCatalog.deliveryClass : #A
 5  @AbapCatalog.dataMaintenance : #RESTRICTED
 6  define table zsnwd_so_d {
 7    key mandt            : mandt not null;
 8    key sales_order_key  : snwd_node_key not null;
 9    sales_order_id       : snwd_so_id;
10    created_by_key       : snwd_node_key;
11    changed_by_key       : snwd_node_key;
12    created_at           : snwd_created_at;
13    changed_at           : snwd_changed_at;
14    created_by_id        : snwd_employee_id;
15    changed_by_id        : snwd_employee_id;
16    note_key             : snwd_node_key;
17    sales_opportunity_id : snwd_op_id;
18    currency_code        : snwd_curr_code;
19    @Semantics.amount.currencyCode : 'zsnwd_so_d.currency_code'
20    gross_amount         : snwd_ttl_gross_amount;
21    @Semantics.amount.currencyCode : 'zsnwd_so_d.currency_code'
22    net_amount           : snwd_ttl_net_amount;
23    @Semantics.amount.currencyCode : 'zsnwd_so_d.currency_code'
24    tax_amount           : snwd_ttl_tax_amount;
25    lifecycle_status     : snwd_so_lc_status_code;
26    billing_status       : snwd_so_cf_status_code;
27    delivery_status      : snwd_so_or_status_code;
28    buyer_key            : snwd_node_key;
29    first_name           : snwd_first_name;
30    email_address        : snwd_email_address;
31    phone_number         : snwd_phone_number;
32    "%admin"             : include sych_bdl_draft_admin_inc;
33
34  }
```

몇 가지 코드를 추가로 작성하겠습니다. Lock master, total etag, etag master, authorization master입니다.

```
managed implementation in class zbp_br_i_salesorder unique;

strict ( 2 );


with draft;

define behavior for Zbr_I_SalesOrder //alias <alias_name>

persistent table zsnwd_so

draft table zsnwd_so_d

etag master changed_at
```

```
lock master

total etag changed_at

authorization master ( instance )

{

  create;

  update;

  delete;

...

```

1) strict: strict는 Behavior를 얼마나 엄격하게 작성했는지를 나타냅니다. strict와
    strict(2)가 있으며, strict(2)일 경우 BO가 추가적인 구문 검사를 하게 되고,
    strict에 비해 모범 사례에 맞게 Behavior를 구현했다는 말이 됩니다. 이를 통
    해 시스템 업그레이드시 안정성이 확보됩니다.

2) etag master: 여러 사용자가 UI에서 동일한 데이터를 변경하려는 경우 etag
    master로 지정된 필드의 값을 확인하여 Table의 값과 동일한 값을 가지는 사
    용자만 데이터를 변경하게 해주는 낙관적 동시제어(Optimistic Concurrency
    Control)기능을 활성화합니다. 보통 Timestamp나 Hash값을 가지는 필드를
    지정합니다.

3) lock master: 배타적 잠금 기능으로 여러 사용자로부터 동시에 데이터 변경
    요청이 오는 경우를 제어하기 위해 리소스 잠금 기능을 활성화합니다.

4) total etag: Draft Table에 존재하는 필드로 Persistent Table로 데이터 전환 시
    동시성 검사기능을 활성화합니다. 보통 Timestamp나 Hash값을 가지는 필드
    를 지정합니다.

5) authorization master: 권한처리를 위한 기능을 활성화합니다. instance는 데
    이터별 권한을 점검하기 위한 기능이고, global은 사용자별 권한을 점검하기
    위한 기능입니다.

여기까지 해도 Behavior에 계속 오류가 남습니다. Strict (2) 모드에서는 Draft기능을 어디까지 사용할지에 대한 선언이 필요합니다. Draft의 전체 기능을 사용하도록 draft action을 추가합니다.

```
managed implementation in class zbp_br_i_salesorder unique;
strict ( 2 );


with draft;
define behavior for Zbr_I_SalesOrder //alias <alias_name>
persistent table zsnwd_so
draft table zsnwd_so_d
etag master changed_at
lock master
total etag changed_at
authorization master ( instance )
{
  create;
  update;
  delete;
  mapping for zsnwd_so corresponding
  {
    sales_order_key = node_key;
    sales_order_id = so_id;
    sales_opportunity_id = op_id;
  }
  draft action Resume;
  draft action Edit;
```

```
  draft action Activate;

  draft action Discard;

  draft determine action Prepare;

}
```

Interface View의 Behavior에 Draft기능을 추가했으니 Projection View의 Behavior에도 Draft기능을 추가하여 UI에 노출되도록 합니다.

```
projection;
strict ( 2 );


use draft;
define behavior for Zbr_P_SalesOrder //alias <alias_name>
{
  use create;
  use update;
  use delete;
  use action Resume;
  use action Edit;
  use action Activate;
  use action Discard;
  use action Prepare;
}
```

Service Binding의 Preview나 VSCode에서 개발한 List Report를 실행해 보면 Draft기능이 활성화된 것을 확인할 수 있습니다.

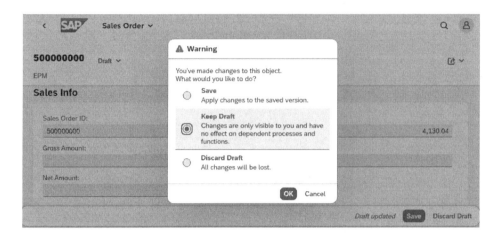

Draft Table에도 데이터가 저장되어집니다.

4 Action

Entity에는 고유한 기능이 있습니다. Create/Read/Update/Delete입니다. 이러한 기능을 Standard Operation이라 부릅니다. 그러나 Standard Operation이외에도 필요한 기능이 있을 수 있습니다. Nonstandard Operation이라 부르는 Action입니다. 대표적인 기능이 상태 변경입니다.

임시 주문이 들어왔을 때 담당자가 확인후 상태를 Confirm으로 변경하는 경우를 생각해 볼 수 있습니다. Update에서 수행해도 되는 기능이지만, 그럼 담당자는 상태 필드 값을 직접 변경해야 합니다. ComboBox값을 Draft(D)->Confirm(C)로 변경하는 정도의 일이 되겠습니다.

담당자가 실수로 Draft(D)를 Confirm이 아닌 다른 상태 값으로 변경하면 어떨까요? 또한 상태 변경이란 간단한 기능만 하면 되는데 Update시 Validation Check 라거나 다른 필드들에 대한 추가 로직이 있다면 모두 다시 수행해야하는 낭비가 있을 수 있습니다.

하나의 Entity에 여러 기능이 나누어져 있으면 기능이 모듈화 되어 구현과 관리도 더 편해집니다.

Action에는 아래와 같은 종류가 있습니다.

- (instance) action: action선언 앞에 아무 option도 없는 기본 action입니다. 특정 데이터(instance)를 지정해야 Action을 실행할 수 있습니다.

- static action: 특정 데이터(instance) 지정없이 Global하게 실행할 수 있는 Action입니다. 예를 들어 전체 데이터 상태 일괄 변경과 같습니다.

- factory action: 특정 데이터를 복사하여 새로운 Instance를 생성하는 Action입니다.

- internal action: 외부에 노출하지 않고, 내부적으로만 사용하는 Action입니다.

또한 Action에는 Parameter를 지정할 수 있습니다.

- Input Parameter: Action을 처리하기 위한 Behavior Implementation Method에 전달되는 Parameter입니다.

- Output Parameter: Behavior Implementation Method에서 Return하는 Parameter입니다.

이정도 사전 지식을 가지고 직접 Action을 구현해 보면서 더 명확히 알아보겠습니다.

ZSNWD_SO테이블에는 lifecycle_status라는 필드가 있습니다. 아래와 같이 Domain의 Fixed value가 지정되어 있는데, 이 값을 변경하는 Action을 생성해 보겠습니다.

Fixed Value	Description
N	New
P	In Progress
C	Closed
X	Canceled
<Enter new value>	

Interface Behavior Definition에 아래와 같이 Acton을 추가합니다.

```
...

draft determine action Prepare;


action set_status_progress result [1] $self;
}
```

Instance Action인 set_status_progress를 선언했고, Input parameter로는 instance자기 자신($self)을, Output parameter로는 1건의 데이터를 리턴 하는 것으로 지정했습니다.

Instance로 자기 자신을 받아 로직을 처리하고 다시 반환한다는 뜻이 됩니다. Implementation Class에 Action처리를 위한 Method를 생성해 보겠습니다. Quick Fix기능을 이용해 Method를 생성합니다.

```
CLASS lhc_zbr_i_salesorder
  DEFINITION INHERITING FROM cl_abap_behavior_handler.
  PRIVATE SECTION.

    METHODS get_instance_authorizations FOR INSTANCE
AUTHORIZATION
      IMPORTING keys REQUEST requested_authorizations
          FOR zbr_i_salesorder RESULT result.

    METHODS set_status_progress FOR MODIFY
      IMPORTING keys
      FOR ACTION zbr_i_salesorder~set_status_progress
      RESULT result.

ENDCLASS.
```

```
CLASS lhc_zbr_i_salesorder IMPLEMENTATION.

  METHOD get_instance_authorizations.
  ENDMETHOD.

  METHOD set_status_progress.
  ENDMETHOD.

ENDCLASS.
```

set_status_progress Method가 생성되었습니다. get_instance_authorization Method는 Behavior Definition에 authorization master를 지정했기 때문에 생성된 Method입니다. 여기서는 권한처리를 하지 않을 예정이니 무시해도 됩니다. (삭제는 하면 안됩니다)

전달받은 Instance의 lifecycle_status값을 P로 변경해 보겠습니다.

```
METHOD set_status_progress.

    LOOP AT keys ASSIGNING FIELD-SYMBOL(<ls_key>).

      UPDATE zsnwd_so

      SET lifecycle_status = 'P'

      WHERE node_key = <ls_key>-sales_order_key.

      APPEND VALUE #( %tky = <ls_key>-%tky ) TO result.

    ENDLOOP.

ENDMETHOD.
```

Action을 외부에 노출하기 위해 Projection Behavior에도 action을 추가합니다.

```
…

  use action Prepare;

  use action set_status_progress;

}
```

이제 List Report를 실행해 보겠습니다. Grid상단에 set_status_progress버튼이 보이시나요? 네 안보입니다. Behavior에 action을 추가하면 OData Service를 직접

호출하여 해당 Action을 사용할 수는 있지만 List Report와 같은 UI에서는 보이지 않습니다. UI는 Annotation을 통해서만 반영되기 때문입니다.

Projection View에 Annotation을 추가합니다.

```
    @UI:{ lineItem: [ { position:90 },
                    { type: #FOR_ACTION,
                        dataAction: 'set_status_progress',
                        label: 'Set Progress' } ],
            selectionField: [{ position:20 }] }
    @UI.fieldGroup: [{ qualifier: 'qfSalesInfo',
                            position: 60 }]
    lifecycle_status,
```

lifecycle_status 필드 상단 @UI.lineItem Annotation에 dataAction을 추가했습니다.

이제 List Report를 실행해 보면 아래와 같이 Grid상단에 Action버튼이 추가된 것을 확인할 수 있습니다. set_status_progress는 Instance Action이기 때문에 Grid의 라인을 선택해야 기능이 활성화됩니다.

라인을 선택하고 Set Progress버튼을 클릭해서 기능이 정상적으로 동작하는지 확인해 보겠습니다.

Action호출이 일어난 후 Object Page로 자동 포워딩 됩니다. 그런데 아무런 데이터도 출력되지 않고 있습니다.

리스트로 돌아가서 보면 lifecycle_status값은 P로 변경된 것을 확인할 수 있습니다.

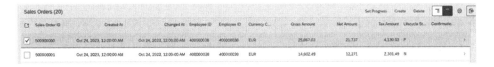

왜 이렇게 동작할까요?

set status_progress라는 Action을 Behavior Definition에 정의할 때 input parameter와 output parameter를 지정 했었습니다. Input은 받아와 처리했지만 output을 return하지 않아 발생하는 문제입니다. Instance와 동일한 형태의 데이터를 Return해주면 List Report는 해당 데이터를 Object Page에 출력하는 형태로 동작합니다.

set_status_progress Method의 Output(사실 Changing) Parameter를 확인해 보겠습니다. Method명 뒤에 마우스 커서를 놓고 F2키를 누르면 parameter를 보여줍니다.

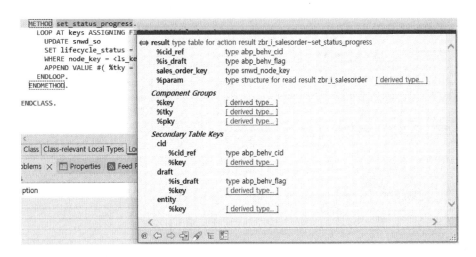

result parameter를 보면 뭔가 복잡한 형태의 데이터가 보입니다. 실제 데이터 구조는 %param에 zbr_i_salesorder 구조로 전달되는데 나머지 값을 채워 넣을 방법이 없습니다.

여기서 EML(Entity Manipulation Language)의 필요성이 나오게 됩니다. 이전에 loop at과 update구문으로 구현한 ABAP로직은 Classic ABAP구문입니다. RAP에서는 RAP 구조에 적합한 새로운 ABAP Language인 EML을 필요로 하게 됩니다. EML에 대한 기초 문법과 자세한 심화 학습은 다음장과 책 후반에 설명드릴 예정이니 우선 set_status_progress Method의 소스코드를 아래와 같이 수정해 보겠습니다.

```
METHOD set_status_progress.

   MODIFY ENTITIES OF zbr_i_salesorder IN LOCAL MODE

      ENTITY zbr_i_salesorder

      UPDATE FIELDS ( lifecycle_status )

      WITH VALUE #( FOR key IN keys ( %tky = key-%tky

                                      lifecycle_status = 'P' ) ).

   READ ENTITIES OF zbr_i_salesorder IN LOCAL MODE

      ENTITY zbr_i_salesorder

      ALL FIELDS WITH

      CORRESPONDING #( keys )

      RESULT DATA(orders).

   result = VALUE #( FOR order IN orders ( %tky = order-%tky

                                           %param = order ) ).

   ENDMETHOD.
```

무슨 뜻인지 전혀 감이 안 잡히지만, Active하고 List Report를 실행해 보면 lifecycle_status값도 잘 Update되고, Object Page에 값도 정상적으로 출력되는 것을 확인해 볼 수 있습니다.

5 EML(Entity Manipulation Language)기초

이후 과정에 계속 EML을 사용해야 하기 때문에 기초적인 내용을 먼저 학습하도록 하겠습니다. EML에 대한 자세한 내용은 이 책의 후반부에 있으니 참고하시기 바랍니다.

ABAP에 새로 추가된 EML(Entity Manipulation Language)는 RAP의 Business Object(BO)에 접근 하기위한 방법입니다. 즉 Fiori App이 아닌 ABAP프로그램에서도 RAP의 BO에 접근이 가능하단 말이 됩니다.

EML구분에 마우스 커서를 놓고 F1키를 눌러 ABAP Language Help를 보면 아래와 같이 목차가 있습니다.

EML에는 Short Form과 Long Form이 있는데 Short Form은 하나의 Entity에 대해 여러 Instance를 처리하는 구문이고, Long Form은 여러 Entity에서 여러 Instance를 처리하는 구문입니다.

여기서는 이번에 사용된 READ ENTITY와 MODIFY ENTITY의 일부 기능만 살펴보도록 하겠습니다.

5.1 READ ENTITY

READ ENTITY는 BO를 통해 Instance를 읽어 오는 구문입니다.

set_status_progress Method에서 사용한 READ ENTITY구문은 아래와 같습니다. Long Form입니다.

```
READ ENTITIES OF zbr_i_salesorder IN LOCAL MODE

    ENTITY zbr_i_salesorder

    ALL FIELDS WITH

    CORRESPONDING #( keys )

    RESULT DATA(orders).
```

zbr_i_salesorder란 Entity에서 전체 필드를 읽어 오는데, 그 결과를 orders란
Internal Table을 생성해 여기에 담는다는 의미입니다. Class ABAP에서는 internal
table에 lt_orders와 같이 lt_란 prefix를 사용하지만, RAP에서는 prefix를 사용하지
않습니다. 이미 set_status_progress란 Method의 파라미터가 keys, result,
mapped, failed, reported와 같이 prefix가 없는 상태로 넘어옵니다. 이는 Clean
Code의 한 방법입니다.

CORRESPONDING #(keys)구문을 통해 전달받은 Key값들의 Instance들을 읽어
옵니다. Classic ABAP에서 MOVE-CORRESPONDING struc TO new_struc과 같이
사용하던 구문을 new_struc = CORRESPONDING #(struc)과 같이 New ABAP
Syntax로 사용할 수 있었고, 이는 Structure가 아닌 Internal Table에도 사용 가능
한 구문이었습니다.

이 구문이 EML에서 사용되면서 CORRESPONDING #(keys)구문이 된 것 입니다.
Keys를 사용하지 않고 Entity의 Key값을 직접 지정하여 Instance를 읽어 올 수도
있습니다.

```
READ ENTITIES OF zbr_i_salesorder IN LOCAL MODE

  ENTITY zbr_i_salesorder

  ALL FIELDS WITH

 VALUE #(

      ( sales_order_key =
        69DC682E1C841EEE9CC8B332FCC687D2' )

      )
```

68

```
  RESULT DATA(orders).
```

Key값을 여러 개 전달하여 READ할 수도 있습니다.

```
READ ENTITIES OF zbr_i_salesorder IN LOCAL MODE
  ENTITY zbr_i_salesorder
  ALL FIELDS WITH
 VALUE #(
       ( sales_order_key = '69DC682E1C841EEE9CC8B332FCC687D2' )
       ( sales_order_key = '69DC682E1C841EEE9CC8B332FCC807D2' )
        )
  RESULT DATA(orders).
```

CORRESPONDING #이나 VALUE #이나 동일한 형태의 파라미터를 BO에 전달한다는 것을 알 수 있습니다.

READ ENTITIES OF 와 ENTITY구문뒤에 동일하게 zbr_i_salesorder가 나옵니다. 중복인 것 같지만 사실 Root Entity와 그 하위 Entity가 따로 없는 단일 Entity를 Alias없이 사용했기 때문입니다.

만약 여러 CDS View를 연결(Composition)하여 OData를 구성했다면 Behavior Definition안에 여러 개의 Define 선언될 것이고, 각 Define에 Alias를 주면 구문이 달라지게 됩니다. 여러 CDS View를 연결한 예제는 다음에 알아보기로 하고 여기서는 alias만 지정해 보도록 하겠습니다. Behavior Definition으로 가서 define behavior for Zbr_I_SalesOrdr구문 뒤에 alias를 추가해 보겠습니다.

```
…
define behavior for Zbr_I_SalesOrder alias myorder
persistent table zsnwd_so
draft table zsnwd_so_d
etag master changed_at
```

```
lock master

...
```

이렇게 되면 EML구문은 아래와 같이 작성되어야 합니다. (alias는 다시 삭제하도록
합니다.)

```
READ ENTITIES OF zbr_i_salesorder IN LOCAL MODE

  ENTITY myorder

  ALL FIELDS WITH

  CORRESPONDING #( keys )

  RESULT DATA(orders).
```

READ ENTITES OF구문 뒤에 IN LOCAL MODE가 있습니다. 이는 해당 Entity에 접
근하는 것이 외부 Object가 아니라 BO자기 자신이라는걸 전달하여 불필요한 권
한체크를 안 하도록 합니다. IN LOCAL MODE를 삭제해도 동작은 하지만 Warning
이 표시되고 Performance등을 위해 작성하라고 가이드가 나옵니다.

5.2 MODIFY ENTITY

READ ENTITY는 Entity의 값을 읽어오는 기능 하나만 하지만 MODIFY ENTITY는
입력, 수정, 삭제, Action실행 등 다양한 기능을 합니다.

set_status_progress Method에서 사용한 READ ENTITY구문은 아래와 같습니다.

```
MODIFY ENTITIES OF zbr_i_salesorder IN LOCAL MODE

      ENTITY zbr_i_salesorder

      UPDATE FIELDS ( lifecycle_status )

      WITH VALUE #( FOR key IN keys ( %tky = key-%tky

                                      lifecycle_status = 'P' ) ).
```

데이터 수정을 위해 MODIFY ENTITY를 사용하는 것이므로 UPDATE구문을 사용했
습니다. 단일 필드만 수정할 것이므로 해당 lifecycle_status필드 하나만 지정했는

70

데 필요에 따라 Internal Table형태의 필드들도 전달할 수 있습니다.

실제 수정할 데이터와 대상 key는 WITH VALUE #구문을 통해 Internal Table형태로 전달할 수 있는데 여기서는 FOR IN구문으로 Input Parameter인 keys의 %tky값과 lifecycle_status = 'P'값을 전달했습니다.

이해를 돕기 위해 Classic ABAP구문을 좀 첨가해서 로직을 변경하면 아래와 같습니다.

```abap
METHOD set_status_progress.

   READ ENTITIES OF zbr_i_salesorder IN LOCAL MODE

      ENTITY zbr_i_salesorder

      ALL FIELDS WITH

      CORRESPONDING #( keys )

      RESULT DATA(orders).


   LOOP AT orders ASSIGNING FIELD-SYMBOL(<order>).

     <order>-lifecycle_status = 'P'.

   ENDLOOP.


   MODIFY ENTITIES OF zbr_i_salesorder IN LOCAL MODE

      ENTITY zbr_i_salesorder

      UPDATE FIELDS ( lifecycle_status )

      WITH CORRESPONDING #( orders ).


   LOOP AT orders ASSIGNING <order>.

     APPEND VALUE #( %tky = <order>-%tky %param = <order> )

       TO result.
```

```
    ENDLOOP.
ENDMETHOD.
```

RAP에서는 되도록 Classic ABAP구분보다는 EML을 사용하는 것이 더 간결하고 효율적입니다.

6 Feature Control

데이터 값에 따라 특정 기능을 사용할 수 있게 하거나 사용할 수 없게 조정하는 것이 필요할 수 있습니다(Dynamic Feature Control: Action). 혹은 특정 필드 값에 따라 다른 필드를 입력 가능하게 하거나 불가능 하게 해야 하거나 단순히 입력이나 수정을 할 수 없는 필드를 지정해야 하는 경우도 있습니다. (Dynamic Feature Contorl: Fields)

Feature Control기능입니다.

set_status_progress Action의 경우 lifecycle_status값을 P(Progress)로 변경하는 기능을 수행합니다. 그런데 만약 이미 lifecycle_status가 P값인 경우는 어떻게 해야 할까요? 당연히 set_status_progress Action을 사용할 수 없어야 할 것입니다. 또한 N(New)이 아닌 상태에서는 P로 변경하지 못하게 해야 할 수도 있습니다.

물론 set_status_progress Method에 check로직을 넣어서 처리할 수도 있습니다. Lifecycle_status값이 이미 P인데도 요청이 들어오면 failed에 관련 오류 메시지를 전달하는 방법입니다.

```
READ ENTITIES OF zbr_i_salesorder IN LOCAL MODE
    ENTITY zbr_i_salesorder
    ALL FIELDS WITH
    CORRESPONDING #( keys )
    RESULT DATA(orders).
```

```
DATA target_order LIKE orders.


LOOP AT orders ASSIGNING FIELD-SYMBOL(<order>).
  IF <order>-lifecycle_status = 'P'.
    APPEND VALUE #( %key = <order>-%key
                    %fail = VALUE #(
                      cause = if_abap_behv=>cause-unspecific
                    )
              ) TO failed-zbr_i_salesorder.
  ELSE.
    APPEND <order> TO target_order.
  ENDIF.
ENDLOOP.
IF target_order IS NOT INITIAL.
  MODIFY ENTITIES OF zbr_i_salesorder IN LOCAL MODE
    ENTITY zbr_i_salesorder
    UPDATE FIELDS ( lifecycle_status )
    WITH CORRESPONDING #( target_order ).


  LOOP AT target_order ASSIGNING <order>.
    APPEND VALUE #( %tky = <order>-%tky %param = <order> )
      TO result.
  ENDLOOP.
ENDIF.
```

이 또한 여러분의 이해를 돕기 위해 Classic ABAP로직을 첨가해서 코딩한 것입니

3장. Managed 시나리오   73

다. (좋지 않은 방식입니다.)

6.1 Dynamic Feature Control: Action

Behavior Definition으로 가서 Action에 features 옵션을 추가합니다.

```
...
action ( features : instance ) set_status_progress
    result [1] $self;
...
```

Instance에 대해 Feature Control을 지정하는 옵션입니다. 이제 Behavior
Implementation Class로 가서 필요한 로직을 추가하도록 하겠습니다.
get_instance_features Method를 추가합니다.

***처음부터 set_status_progress에 features옵션을 추가했었다면, Quick Fix기능을
통해 get_instance_features Method까지 자동을 생성할 수 있습니다.
set_status_progress Method를 삭제한다음 Quick Fix기능으로
get_instance_features Method까지 다시 자동 생성하거나 직접 수기로 추가합니
다.*

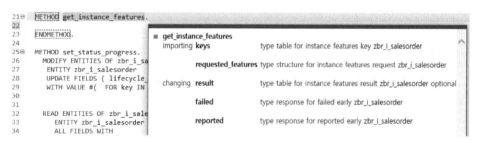

READ ENITTY로 Instance를 읽어와 lifecycle_status값이 P이면 Action을 사용할
수 없게 하고, 그 외에는 사용 가능하게 변경되도록 하겠습니다.

```
METHOD get_instance_features.

```

```
    READ ENTITIES OF zbr_i_salesorder IN LOCAL MODE

        ENTITY zbr_i_salesorder

        FIELDS ( lifecycle_status )

        WITH CORRESPONDING #( keys )

        RESULT DATA(orders)

        FAILED failed.


    result = VALUE #( FOR order IN orders

                    ( %tky = order-%tky

                      %features-%action-set_status_progress =
                    COND #( WHEN order-lifecycle_status = 'P'

                            THEN if_abap_behv=>fc-o-disabled

                            ELSE if_abap_behv=>fc-o-enabled )
                   ) ).
    ENDMETHOD.
```

(Classic ABAP 코드에 익숙한 분들에게는 New ABAP Syntax까지 압박이 들어옵니다.)

COND연산자를 이용해 P인경우 set_status_progress action에 대해 %features값을 disabled로, 그 외엔 enabled로 지정하여 result로 return했습니다.

이젠 lifecycle_status가 P인 Instance는 선택을 해도 Set Progress버튼이 활성화되지 않습니다.

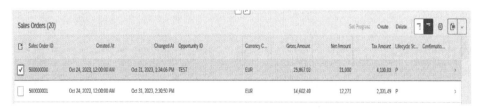

6.2 Dynamic Feature Control: Fields

Lifecycle_status값이 N(New)가 아닌 경우는 이미 주문이 진행되고 있는 경우 이므로, Amount값을 변경할 수 없어야 합니다. 그리고 sales_order_id의 경우 수정할 수 없는 값이어야 합니다.

Behavior에 아래와 같이 Field들에 대한 Feature Control을 추가합니다.

```
...
action ( features : instance ) set_status_progress
    result [1] $self;
field ( readonly : update ) sales_order_id;
field ( features : instance )
    gross_amount, net_amount, tax_amount;
}
```

sales_order_id를 update모드에서는 readonly가 되도록 설정했습니다. 이렇게만 해도 List Report의 Edit모드에서는 해당 필드가 readonly모드로 출력됩니다.

다음 라인의 field feature control을 통해 3가지 amount값에 대한 기능 제어를 할 수 있습니다. Feature Control을 처리하는 Method인 get_instance_features로 이동해 field에 대한 처리 로직을 추가합니다.

```
...
result = VALUE #(

        FOR order IN orders

          ( %tky = order-%tky

            %field-gross_amount =

              COND #( WHEN order-lifecycle_status = 'N'

                      THEN if_abap_behv=>fc-f-unrestricted

                      ELSE if_abap_behv=>fc-f-read_only )

            %field-net_amount =

              COND #( WHEN order-lifecycle_status = 'N'

                      THEN 1f_abap_behv=>fc-f-unrestricted

                      ELSE if_abap_behv=>fc-f-read_only )

            %field-tax_amount =

              COND #( WHEN order-lifecycle_status = 'N'

                      THEN if_abap_behv=>fc-f-unrestricted

                        ELSE if_abap_behv=>fc-f-read_only )

            %features-%action-set_status_progress =

              COND #( WHEN order-lifecycle_status = 'P'

                      THEN if_abap_behv=>fc-o-disabled

                      ELSE if_abap_behv=>fc-o-enabled   )

                    ) ).
```

Amount field들에 대해 lifecycle_status값이 N이 아니면 Readonly처리 하였습니다.

**%field는 Behavior Definition의 field (features : instance) 구문 뒤에 나열된 필드들만 접근이 가능합니다.

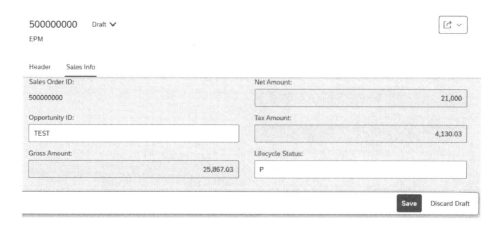

현재 상태에서 List Report의 Create버튼을 클릭해보면 Sales Order ID를 입력하라는 Popup창이 출력됩니다.

임의로 Sales Order ID값을 넣고 Continue버튼을 클릭하면 Sales Order ID가 readonly모드로 출력됩니다.

한국인의 통념으로는 괴상하기 짝이 없습니다.

Feature Control에서 readonly:upate로 지정된 필드는 Create 모드에서 Popup으로 우선 입력해야 하는 필드로 지정됩니다. readonly:update대신 readonly만 넣으면 Popup이 출력되지 않지만 값을 입력할 수도 없습니다.

```
...
action ( features : instance ) set_status_progress
  result [1] $self;
field ( readonly ) sales_order_id;
field ( features : instance )
   gross_amount, net_amount, tax_amount;
...
```

New: Sales Order

기술적으로 유추해보면 List Report가 Create모드와 Update모드의 소스코드를 공유하기 때문으로 보이고, 기능적으로 유추해보면 Create일땐 입력 가능하고 Update일땐 입력 못하게 하는 필드는 대체로 Key와 같은 역할을 하는 필드이기 때문이라고 생각해 볼 수 있습니다.

Feature Control Method에서 read_only로 지정하는 방식을 사용하면 어느정도 원하는(한국인 정서에 맞는) 결과를 얻을 수 있습니다.

Behavior Definition에서 field(readonly)구문을 주석 처리하고

```
...
action ( features : instance ) set_status_progress
  result [1] $self;

//field ( readonly ) sales_order_id;
field ( features : instance )
  gross_amount, net_amount, tax_amount, sales_order_id;
...
```

get_instance_features Method도 아래와 같이 수정하면

```
…
result = VALUE #( FOR order IN orders
                  ( %tky = order-%tky
                    %field-sales_order_id =
                  COND #( WHEN order-sales_order_key IS INITIAL
                          THEN if_abap_behv=>fc-f-unrestricted
                          ELSE if_abap_behv=>fc-f-read_only )
                    %field-gross_amount =
                  COND #( WHEN order-lifecycle_status = 'N'
                          THEN if_abap_behv=>fc-f-unrestricted
                          ELSE if_abap_behv=>fc-f-read_only )
…
```

Update모드에서는 아래와 같이 read_only로 출력되고,

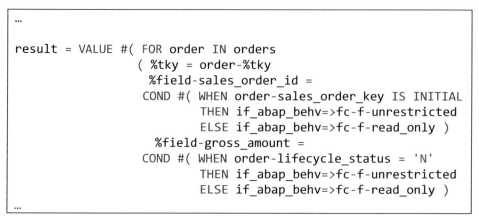

Create모드에서는 입력 가능한 상태로 출력됩니다.

7 Numbering

Sales Order ID와 같은 필드는 사실 시스템이 자동으로 채번하여 할당해야 합니다. 이럴 때 Numbering기능을 사용할 수 있습니다.

7.1 Early Numbering

사용자가 새로운 Instance를 생성하려고 하면, 사용자가 데이터를 입력하기 전, 미리 채번을 하여 사용자에게 제공할 수 있습니다. Early Numbering입니다.

7.1.1 Unmanaged Early Numbering

Behavior Definition을 아래와 같이 수정합니다.

```
…
authorization master ( instance )
early numbering
{
  create;
  …
  field ( readonly ) sales_order_id;
  …
```

early numbering이란 구문을 추가했습니다.

early numbering이란 구문을 추가하면 create; 구문에 Warning이 출력되면서 Numbering이 Implementation되지 않았다는 표시가 됩니다. create; 구문에 마우스를 가져다 놓고 Quick Fix기능을 사용하여 Method를 생성합니다. (Instance가 Create될 때 Early numbering기능이 실행된다는 걸 알 수 있습니다.)

```
METHOD earlynumbering_create.

    DATA  : last_so_id_n TYPE n LENGTH 10.

    "Persistent 테이블 확인

    SELECT MAX( so_id ) INTO @DATA(last_so_id)

    FROM zsnwd_so.

    "Draft 테입블 확인

    SELECT MAX( sales_order_id ) INTO @DATA(last_so_id_d)

    FROM zsnwd_so_d.

    "최대값 결정 및 NUMC 타입으로 변환
```

```
      last_so_id_n = COND #( WHEN last_so_id > last_so_id_d

                             THEN last_so_id

                             ELSE last_so_id_d ).

    LOOP AT entities INTO DATA(entity).

      IF entity-sales_order_id IS INITIAL.

        ADD 1 TO last_so_id_n.

        entity-sales_order_id = last_so_id_n.

        APPEND CORRESPONDING #( entity )

          TO mapped-zbr_i_salesorder.

      ELSE.

        APPEND CORRESPONDING #( entity )

          TO mapped-zbr_i_salesorder.

      ENDIF.

    ENDLOOP.

  ENDMETHOD.
```

실무에서 이런식으로 채번하는 사람은 없을거라 믿습니다. (Number Range를 사용하는 등의 방식으로 채번하시기 바랍니다.)

이제 List Report에서 Create버튼을 클릭해보겠습니다.

여전히 Sales Order ID의 값은 자동 할당되지 않았습니다.

earlynumbering_create Method에 디버깅을 해보겠습니다.

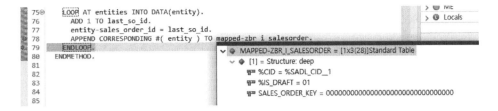

```
75⊖    LOOP AT entities INTO DATA(entity).
76        ADD 1 TO last_so_id.
77        entity-sales_order_id = last_so_id.
78        APPEND CORRESPONDING #( entity ) TO mapped-zbr_i_salesorder.
79    ENDLOOP.
80    ENDMETHOD.
81
82
83
84
85
```

```
v ◆ MAPPED-ZBR_I_SALESORDER = [1x3(28)]Standard Table
  v ◆ [1] = Structure: deep
      %CID = %SADL_CID_1
      %IS_DRAFT = 01
      SALES_ORDER_KEY = 00000000000000000000000000000000
```

sales_order_id필드가 mapped에 보이지 않습니다.

신규 Instance에 대해 BO가 내부적으로 사용할 Key인 %CID와 실제 데이터 모델
에서 사용되는 key정보를 매핑하여 가지고 있는 파라미터가 mapped입니다. 그렇
기 때문에 Numbering을 사용하는 필드는 반드시 데이터 모델에서 PK필드 이어
야 합니다.

ZSNWD_SO,   ZSNWD_SO_D,   Zbr_I_SalesOrder,   Zbr_P_SalesOrder 모두
sales_order_id를 Key로 지정하여 Active하고 결과를 보면, sales_order_id가
mapped에 포함된 걸 확인할 수 있습니다.

sales_order_key는요?

7.1.2 Managed Early Numbering

UUID와 같은 값은 따로 로직을 작성할 필요없이 RAP엔진에서 자동으로 할당되게
할 수 있습니다. 어차피 UUID이기 때문입니다.

Behavior Definition에 Managed Internal Early Numbering을 선언만 하면 됩니다.

```
...
action ( features : instance ) set_status_progress
  result [1] $self;
field ( readonly, numbering:managed ) sales_order_key;
field ( readonly ) sales_order_id, gross_amount, tax_amount;
...
```

하지만, early numbering구문과 함께 쓸 수 없다는 오류가 발생합니다.

```
field ( readonly, numbering:managed ) sales_order_key;
```
It is not possible to specify both "numbering:managed" and "early numbering" at the same time.

시스템이 자동으로 할당한 값을 다시 Early Numbering에서 코딩으로 수정하는 것을 방지하기 위해서입니다. UUID가 Key값인 경우 이렇게 Managed Early Numbering기능을 사용할 수 있다는 것만 알아 두고, 여기서는 earlynumbering_create Method에서 코딩으로 직접 할당하겠습니다.

```
...

  LOOP AT entities INTO DATA(entity).
     IF entity-sales_order_id IS INITIAL.
       ADD 1 TO last_so_id_n.
       entity-sales_order_id = last_so_id_n.
       entity-sales_order_key =
           cl_system_uuid=>create_uuid_x16_static( ).
       APPEND CORRESPONDING #( entity )
         TO mapped-zbr_i_salesorder.
     ELSE.
       APPEND CORRESPONDING #( entity )
         TO mapped-zbr_i_salesorder.
     ENDIF.
   ENDLOOP.

...
```

7.2   Late Numbering

Sales Order ID는 BAPI등을 실행하여 실제 Transaction이 수행된 다음에야 결정될 수도 있습니다.

Key값은 기본적으로 Mandatory이여야 하기 때문에 빈 값을 저장할 수는 없습니다. (Key값이 아닌 경우라면 이후 배울 Determination등에서 처리해도 됩니다.)

84

Behavior Definition에 early numbering 구문을 late numbering으로 변경합니다. 이렇게 변경하면 draft table에 오류가 표시되는데, late numbering을 위해서는 Draft테이블에 DRAFTUUID라는 추가 필드가 필요하기 때문입니다.

```
 5  define behavior for Zbr_I_SalesOrder //alias myorder
 6  persistent table zsnwd_so
 7  "ZSNWD_SO_D" must have a field "DRAFTUUID" of type "X(16)", since "ZBR_I_SALESORDER" has the property "Late Numbering".
 8  etag master changed_at
 9  lock master
10  total etag changed_at
11  late numbering
12  authorization master ( instance )
```

Draft Table에 수기로 직접 필드를 추가해도 되고,

```
 6  define table zsnwd_so_d {
 7    key mandt            : mandt not null;
 8    key sales_order_key  : snwd_node_key not null;
 9    key sales_order_id   : snwd_so_id not null;
10    key draftuuid        : sdraft_uuid not null;
11    created_by_key       : snwd_node_key;
```

아니면 새로운 Draft Table을 지정한 다음 Quick Fix기능으로 신규 Draft Table을 생성해도 됩니다.

전 기존 Draft Table에 key를 직접 추가해서 Active했습니다.

그리고 late numbering구문에서 Quick Fix기능을 사용해 관련 Method를 추가합니다. Late numbering관련 Method를 Quick Fix기능으로 생성하면 Method만 생성되는 것이 아니라 cl_abap_behavior_saver를 implementation하는 새로운 Local Class와 그 안에 adjust_numbers라는 Method가 생성됩니다.

```
102  CLASS lsc_zbr_i_salesorder DEFINITION INHERITING FROM cl_abap_behavior_saver.
103
104    PROTECTED SECTION.
105
106      METHODS adjust_numbers REDEFINITION.
107
108  ENDCLASS.
```

우리가 그동안 사용한 Method들은 cl_abap_behavior_handler라는 Class를 Implementation한 Local Class에 속한 Method들 이였습니다.

BO는 크게 2단계로 나누어 지는데, Interaction Phase와 Save Sequence입니다.

이에 대한 자세한 내용은 이후 Unmanaged Transaction App에서 설명할 예정이니, 여기서는 새로운 Save Sequence Class에 Late Numbering을 구현해야 한다 정도만 알고 넘어가도 좋습니다.

기존에 작성했던 Early Numbering관련 Method는 삭제하고, 로직을 약간 변경하여 adjust_number Method를 작성합니다.

```abap
METHOD adjust_numbers.
  DATA : last_so_id_n TYPE n LENGTH 10.
  LOOP AT mapped-zbr_i_salesorder
    ASSIGNING FIELD-SYMBOL(<mapped>).
    "Persistent 테이블 확인
    SELECT MAX( so_id ) INTO @DATA(last_so_id)
    FROM zsnwd_so.

    "Draft 테입블 확인
    SELECT MAX( sales_order_id ) INTO @DATA(last_so_id_d)
    FROM zsnwd_so_d.

    "최대값 결정 및 NUMC 타입으로 변환
    last_so_id_n = COND #( WHEN last_so_id > last_so_id_d
                           THEN last_so_id
                           ELSE last_so_id_d ).
    ADD 1 TO last_so_id_n.
    <mapped>-sales_order_id = last_so_id_n.
    <mapped>-sales_order_key =
      cl_system_uuid=>create_uuid_x16_static( ).
  ENDLOOP.
ENDMETHOD.
```

Save Sequence 단계에서는 mapped에 이미 Instance의 값들이 포함되어 전달됩니다. 이 Instance들은 Interaction Phase에서 Append하여 넘겨준 값이 됩니다. 즉 이전 Early Numbering에서 mapped에 key값을 매핑하여 Append하면 Save Sequence에서 저장하는 방식으로 동작했던 것입니다. 우리가 작성했던 Early Numbering로직은 삭제했지만, BO자체적인 다른 로직들을 통해 생성된 mapped 데이터가 Save Sequence에서 처리되는 방식입니다.

테스트를 해보면 Create화면에서는 Sales Order ID가 빈값이지만, 데이터를 저장하면 adjust_numer Method를 통해 Sales Order ID가 할당되는 것을 확인할 수 있습니다.

8 Determination

신규 데이터 생성시 사용자가 직접 값을 입력하는 필드가 있는 반면, 소스 코드에서 생성하여 입력해야 하는 데이터도 있습니다. 이때 사용할 수 있는 기능이 Determination입니다.

예를 들어 Lifecycle Status의 경우 신규 데이터는 반드시 New(N)이어야 한다는 규칙이 있을 수 있습니다. 또한 Gross Amount값의 경우 반드시 Net Amount와 Tax Amount값의 합계와 같아야 하므로, Net Amount만 입력하면 Tax Amount와 Gross Amount가 자동으로 계산되어야 할 수도 있습니다. 이런 경우 Determination을 사용할 수 있습니다.

Behavior Definition에 Determination을 추가합니다.

```
…
determination set_lifecycle_status_init on modify { create; }
…
```

Instance에 무언가 변화(on modify)가 일어나면 Determination이 실행됩니다. 중괄호 안에는 create; update; delete;등이 올 수 있는데 신규 생성시(Instance에 변화) 처리할 로직이므로 create;를 지정합니다. Quick Fix기능으로 관련 Method를 생성합니다.

```
  METHOD set_lifecycle_status_init.
    MODIFY ENTITIES OF zbr_i_salesorder IN LOCAL MODE
      ENTITY zbr_i_salesorder
      UPDATE FIELDS ( lifecycle_status )
      WITH VALUE #(  FOR key IN keys ( %tky = key-%tky
                                       lifecycle_status = 'N' ) ).
  ENDMETHOD.
```

Method안에서는 lifecycle_status에 초기값을 N으로 주었습니다.

List Report를 실행해 보면 초기값이 N으로 할당되는 것을 확인할 수 있습니다.

500000020

Net Amount값을 입력 받으면, 10%값을 Tax Amount로 넣고 그 합을 Gross Amount에 저장하도록 해보겠습니다.

그전에 Gross Amount와 Tax Amount는 Read Only로 변경하겠습니다. Feature Control에 지정됐던건 삭제하고

```
...
action ( features : instance ) set_status_progress
    result [1] $self;
field ( readonly ) sales_order_id, gross_amount, tax_amount;
field ( features : instance ) net_amount;
...
```

get_instance_features Method의 관련 로직도 주석처리 합니다.

```
29⊖    METHOD get_instance_features.
30         READ ENTITIES OF zbr_i_salesorder IN LOCAL MODE
31            ENTITY zbr_i_salesorder
32               FIELDS ( lifecycle_status )
33               WITH CORRESPONDING #( keys )
34            RESULT DATA(orders)
35            FAILED failed.
36
37      result = VALUE #( FOR order IN orders
38                           ( %tky = order-%tky
39 *                              %field-gross_amount = COND #( WHEN order-lifecycle_status = 'N'
40 *                                               THEN if_abap_behv=>fc-f-unrestricted
41 *                                               ELSE if_abap_behv=>fc-f-read_only )
42                              %field-net_amount = COND #( WHEN order-lifecycle_status = 'N'
43                                               THEN if_abap_behv=>fc-f-unrestricted
44                                               ELSE if_abap_behv=>fc-f-read_only )
45 *                              %field-tax_amount = COND #( WHEN order-lifecycle_status = 'N'
46 *                                               THEN if_abap_behv=>fc-f-unrestricted
47 *                                               ELSE if_abap_behv=>fc-f-read_only )
48                              %features-%action-set_status_progress = COND #( WHEN order-lifecycle_status = 'P'
49                                               THEN if_abap_behv=>fc-o-disabled
50                                               ELSE if_abap_behv=>fc-o-enabled  )
51                           ) ).
52      ENDMETHOD.
```

이제 새로운 Determination을 추가하겠습니다.

```
...
determination set_lifecycle_status_init on modify { create; }
determination calculate_amount on save { field net_amount; }
...
```

88

Instance가 최종적으로 저장되는 시점(on save)에 Determination로직이 수행되는데, net_amount필드값이 수정되었을 때 만 실행되게 선언했습니다. Quick Fix기능으로 Method를 생성하고 아래와 같이 계산 값을 할당하도록 로직을 구현합니다.

```
METHOD calculate_amount.
   READ ENTITIES OF zbr_i_salesorder IN LOCAL MODE
     ENTITY zbr_i_salesorder
     ALL FIELDS WITH
     CORRESPONDING #( keys )
     RESULT DATA(orders).

   LOOP AT orders ASSIGNING FIELD-SYMBOL(<order>).
     IF <order>-net_amount > 0.
       <order>-tax_amount = <order>-net_amount / 10.
       <order>-gross_amount = <order>-net_amount
                             + <order>-tax_amount.
     ENDIF.
   ENDLOOP.

   MODIFY ENTITIES OF zbr_i_salesorder IN LOCAL MODE
     ENTITY zbr_i_salesorder
     UPDATE FIELDS ( gross_amount tax_amount )
     WITH CORRESPONDING #( orders ).
   ENDMETHOD.
```

이제 테스트를 해보면 gross_amount와 tax_amount값이 자동으로 계산되어져 저장되는 것을 확인할 수 있습니다.

9 Validation

데이터에 대한 유효성 검증이 필요할 수 있습니다. net_amount값이 0보다 커야한다 일 수도 있고, lifecycle_status값이 유효한 값인지도 확인이 필요합니다. 이럴 때 사용할 수 있는 기능이 Validation입니다.

Behavior Definition에 validation을 추가합니다.

```
…
validation check_net_amount
  on save { create; update; field net_amount; }
…
```

net_amount필드 값을 create와 update시 유효성 검사하도록 정의했습니다.

Quick Fix 기능으로 Method도 생성하고 아래와 같이 코딩합니다.

```
METHOD check_net_amount.
   READ ENTITIES OF zbr_i_salesorder IN LOCAL MODE
    ENTITY zbr_i_salesorder
    FIELDS ( net_amount ) WITH
    CORRESPONDING #( keys )
    RESULT DATA(orders).

   LOOP AT orders INTO DATA(order).
     IF order-net_amount <= 0.
       APPEND VALUE #(  %tky = order-%tky )
         TO failed-zbr_i_salesorder.
       APPEND VALUE #( %msg = new_message(
                 id = '00'
                 number = '001'
                 severity = if_abap_behv_message=>severity-error
                 v1 = 'Invalid Net Amount' ) )
        TO reported-zbr_i_salesorder.
     ENDIF.
   ENDLOOP.
 ENDMETHOD.
```

Validation오류가 있는 경우 사용자에게 오류 메시지를 전달해야 합니다. RAP는 Changing 파라미터로 failed와 reported를 가지고 있는데, failed는 오류난 Instance의 key를 append하고, reported에는 오류 메시지를 추가하여 전달합니다.

net_amount에 0을 넣고 저장해 보면 아래와 같이 오류 메시지가 출력됩니다.

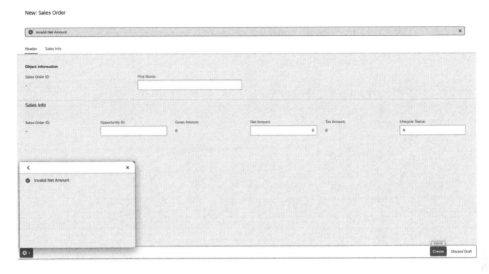

reported는 말 그대로 정보를 전달하기 위한 피라미디이기 때문에 severity를 error로 전달하더라도 오류로 인식하지 않습니다. 반드시 failed에 오류 Instance 의 Key를 전달해야 합니다. failed부분을 주석 처리하고 validation을 하면 오류가 아닌 Warming 메시지가 Popup됩니다.

Lifecycle Status도 validation check해보겠습니다. 새로 Validation을 선언하고

```
...
validation check_lifecycle_status
   on save { create; update; field lifecycle_status; }
...
```

Method에 로직도 추가합니다.

```
METHOD check_lifecycle_status.
    READ ENTITIES OF zbr_i_salesorder IN LOCAL MODE
```

```
    ENTITY zbr_i_salesorder
    FIELDS ( lifecycle_status ) WITH
    CORRESPONDING #( keys )
    RESULT DATA(orders).

  SELECT domvalue_l INTO TABLE @DATA(lt_dom)
  FROM dd07l
  WHERE domname = 'D_SO_LC'
  AND as4local = 'A'
  ORDER BY domvalue_l.

  LOOP AT orders INTO DATA(order).
    READ TABLE lt_dom TRANSPORTING NO FIELDS WITH KEY
        domvalue_l = order-lifecycle_status BINARY SEARCH.
    IF sy-subrc NE 0.
      APPEND VALUE #(  %tky = order-%tky )
        TO failed-zbr_i_salesorder.
      APPEND VALUE #( %msg = new_message(
            id = '00'
            number = '001'
            severity = if_abap_behv_message=>severity-error
            v1 = 'Invalid Lifecycle Status' ) )
        TO reported-zbr_i_salesorder.
    ENDIF.
  ENDLOOP.
ENDMETHOD.
```

야심차게 Lifecycle Status에 K와 같은 값을 넣고 저장해 보면, Lifecycle Status의 Validation Method가 호출은 되지만, 값이 K가 아닌 N으로 넘어온다는 걸 알 수 있습니다.

즉, Validation로직이 실행되기 전에 Determination로직이 먼저 실행된다는 걸 알 수 있습니다.

우리가 이전에 작성했던 set_lifecycle_status_init Method에서 무조건 lifecycle_status에 N을 넣게 했기 때문에 발생한 문제입니다. set_lifecycle_status_init Method를 아래와 같이 수정해 보겠습니다.

```
METHOD set_lifecycle_status_init.
  READ ENTITIES OF zbr_i_salesorder IN LOCAL MODE
    ENTITY zbr_i_salesorder
    FIELDS ( lifecycle_status ) WITH
    CORRESPONDING #( keys )
```

```
    RESULT DATA(orders).

  MODIFY ENTITIES OF zbr_i_salesorder IN LOCAL MODE
   ENTITY zbr_i_salesorder
   UPDATE FIELDS ( lifecycle_status )
   WITH VALUE #(  FOR order IN orders (
          %tky      = order-%tky
          lifecycle_status = COND #(
                        WHEN order-lifecycle_status = ''
                        THEN 'N'
                        ELSE order-lifecycle_status ) ) ).
  ENDMETHOD.
```

무조건 N으로 값을 바꾸는 대신, 빈 값일때만 N으로 변경하고 그 외엔 값을 유지하게 했습니다.

이제 테스트를 해보면 Validation check가 정상적으로 동작하는 것을 확인할 수 있습니다.

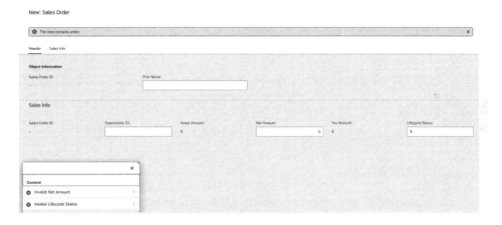

사실 Lifecycle Status와 같은 필드는 Validation처리를 하기 이전에 UI단에서 입력 가능한 값들만 ComboBox등으로 출력하는 것이 더 합리적입니다. 이러한 처리는 이 책 후반부에 설명드릴 예정입니다.

10 Additional Save

지금 우리가 학습하고 있는 내용은 RAP BO의 Managed 시나리오입니다. Managed시나리오에서는 Persistent Table에 대한 Standard Operation(입력, 수정, 삭제, 조회)을 BO가 알아서 처리해 줬습니다. 물론 Action, Validation, Numbering, Determination등의 추가적인 기능을 따로 구현하기는 했지만 기본적인 핵심 기능은 BO가 알아서 처리했습니다.

그러나 경우에 따라 입력, 수정, 삭제시 추가적인 로직을 구현할 필요가 있을 수 있습니다. 예를 들어 저장 후 Log를 저장하는 등의 작업이 필요할 수 있습니다.

Behavior Definition에 with additional save를 추가 선언해 보겠습니다.

```
...
define behavior for Zbr_I_SalesOrder //alias myorder
persistent table zsnwd_so
with additional save
draft table zsnwd_so_d
...
```

Quick Fix기능으로 save_modified Method를 생성합니다. Quick Fix기능이 동작하지 않으면 직접 saver Class에 save_modifed를 redefine합니다.

```
CLASS lsc_zbr_i_salesorder
  DEFINITION INHERITING FROM cl_abap_behavior_saver.
  PROTECTED SECTION.
    METHODS adjust_numbers REDEFINITION.
    METHODS save_modified REDEFINITION.
ENDCLASS.
```

save_modified Method는 아래와 같이 작성하겠습니다.

```
METHOD save_modified.
   LOOP AT create-zbr_i_salesorder INTO DATA(ls_create).
*여기에 Log 적재 로직 추가
   ENDLOOP.
   LOOP AT update-zbr_i_salesorder INTO DATA(ls_update).
*여기에 Log 적재 로직 추가
   ENDLOOP.
   LOOP AT delete-zbr_i_salesorder INTO DATA(ls_delete).
*여기에 Log 적재 로직 추가
```

```
    ENDLOOP.
  ENDMETHOD.
```

save_modified Method는 입력, 수정, 삭제시 모두 호출됩니다. Import 파라미터 create, update, delete에 실행되는 Instance의 값이 들어오고, %control에는 각 필드의 입력 가능 상태가 표시됩니다.

save_modifed Method에 디버깅을 잡아고 신규 Instance를 생성하면 save_modified Method가 두번 호출 되는걸 확인할 수 있습니다. 첫번째는 빈 데이터로 호출되고, 두번째는 create 파라미터에 Instance가 넘어옵니다. 이는 Draft 기능을 활성화했기 때문으로, 파라미터가 빈 값이면 무시하면 됩니다.

Log적재 로직은 필요에 따라 구현하면 됩니다.

Additional Save는 BO의 Standard Operation이 종료된 후에 호출되기 때문에 아무 로직이 없어도 Instance는 정상적으로 입력, 수정, 삭제됩니다.

11 Unmanaged Save

경우에 따라 이 Standard Operation을 직접 구현해야 하는 필요가 있을 수 있습니다. Unmanaged Save는 Standard Operation을 실행하지 않은 채 save_modified Method를 호출함으로써 개발자가 직접 로직을 작성하게 할 수 있습니다.

Behavior Definition을 수정합니다.

```
...
define behavior for Zbr_I_SalesOrder //alias myorder
//persistent table zsnwd_so
with unmanaged save
draft table zsnwd_so_d
...
```

with additional save대신 with unmanaged save를 선언하였습니다. Unmanaged Save는 Standard Operation까지 직접 작성해야 하므로 persistent table선언은 삭

제해야 합니다.

여기 까지만 하고, UI에서 신규 Instance를 생성해 보면 저장됐다는 메시지가 출력되지만 실제 데이터는 저장되지 않는 것을 확인할 수 있습니다. 저장 메시지가 출력되고 새로고침을 하면 데이터가 없다는 오류 메시지가 나옵니다. (Draft기능은 정상 동작합니다.)

Unable to load the data.

Error: Unspecified provider error occurred. See Error Context and Call Stack.

실제 필요한 로직을 작성해 보겠습니다.

```
METHOD save_modified.
   DATA : lt_create TYPE STANDARD TABLE OF zsnwd_so,
          lt_update TYPE STANDARD TABLE OF zsnwd_so,
          lt_delete TYPE STANDARD TABLE OF zsnwd_so.

   lt_create = CORRESPONDING #( create-zbr_i_salesorder
MAPPING FROM ENTITY ).
   lt_update = CORRESPONDING #( update-zbr_i_salesorder
MAPPING FROM ENTITY ).
   lt_delete = CORRESPONDING #( delete-zbr_i_salesorder
MAPPING FROM ENTITY ).

   IF lt_create IS NOT INITIAL.
     INSERT zsnwd_so FROM TABLE lt_create.
*여기에 Log 적재 로직 추가
   ENDIF.
   IF lt_update IS NOT INITIAL.
     MODIFY zsnwd_so FROM TABLE lt_update.
*여기에 Log 적재 로직 추가
   ENDIF.
   IF lt_delete IS NOT INITIAL.
```

```
      DELETE zsnwd_so FROM TABLE lt_delete.
*여기에 Log 적재 로직 추가
    ENDIF.
  ENDMETHOD.
```

Create, Update, Delete에 맞춰서 데이터를 테이블에 저장, 수정, 삭제하는 로직을 작성했습니다. 참고로 CORRESPONDING할 때 뒤에 MAPPING FROM ENTITY라는 옵션이 있는데 이는 Behavior Definition에 작성한 Mapping을 기반으로 Corresponding처리를 하라는 옵션입니다.

이제 Instance를 새로 생성해 보면 정상적으로 동작하는 것을 확인할 수 있습니다.

4장. Unmanaged 시나리오

Managed 시나리오에서는 RAP가 대부분의 기능을 알아서 처리했기 때문에 실제 BO의 동작방식에 대한 고민을 하지 않아도 됐습니다. 하지만 사용자 요구사항에 따라 Managed 시나리오로는 대응할 수 없는 경우가 발생할 수 있습니다. (사실 Managed with unmanaged save로 대부분 처리 가능 합니다.)

1   Business Object Runtime

이런 경우를 위해 RAP에서는 Unmanaged 시나리오를 제공합니다.

Unmanaged 시나리오에서는 RAP엔진이 BO의 전체적인 구조만 정의하고, 나머지 모든 기능은 개발자가 직접 구현해야 합니다. 이를 위해 크게 Interaction Phase와 Save Sequence단계가 있으며 이 두단계는 서로 Transactional Buffer를 통해 데이터를 주고받습니다.

다음은 help.sap.com에서 설명하고 있는 BO Runtime 구조입니다.

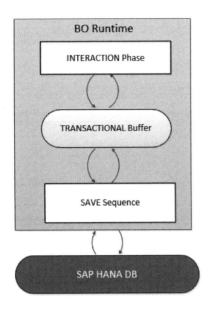

**Managed*시나리오에서도 BO Runtime*구조는 동일하게 동작 합니다. 단지 우리가 신경을 안 쓰고 사용했을 뿐입니다. RAP 엔진이 알아서 관리(managed)해 주었으니까요.*

Behavior는 CDS View당 1개만 생성이 가능하므로 이전에 생성했던 CDS View를 복사해서 Zbr_I_SalesOrder_UM와 Zbr_P_SalesOrder_UM을 생성합니다.

그리고 CDS View의 Behavior를 Unmanaged로 생성합니다.

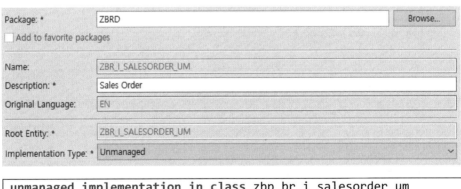

```
unmanaged implementation in class zbp_br_i_salesorder_um
unique;
strict ( 2 );
```

```
define behavior for Zbr_I_SalesOrder_UM //alias <alias_name>
//late numbering
lock master
authorization master ( instance )
//etag master <field_name>
{
  create;
  update;
  delete;
}
```

Behavior Definition이 생성되면 Quick Fix기능을 사용해 Behavior Implementation Class도 생성합니다.

```
CLASS lhc_zbr_i_salesorder_um DEFINITION INHERITING
                            FROM cl_abap_behavior_handler.
  PRIVATE SECTION.

    METHODS get_instance_authorizations
      FOR INSTANCE AUTHORIZATION
      IMPORTING keys REQUEST requested_authorizations
      FOR zbr_i_salesorder_um RESULT result.

    METHODS create FOR MODIFY
      IMPORTING entities FOR CREATE zbr_i_salesorder_um.

    METHODS update FOR MODIFY
      IMPORTING entities FOR UPDATE zbr_i_salesorder_um.

    METHODS delete FOR MODIFY
      IMPORTING keys FOR DELETE zbr_i_salesorder_um.

    METHODS read FOR READ
      IMPORTING keys FOR READ zbr_i_salesorder_um
      RESULT result.

    METHODS lock FOR LOCK
      IMPORTING keys FOR LOCK zbr_i_salesorder_um.

ENDCLASS.

CLASS lhc_zbr_i_salesorder_um IMPLEMENTATION.

  METHOD get_instance_authorizations.
  ENDMETHOD.
```

```
    METHOD create.
    ENDMETHOD.

    METHOD update.
    ENDMETHOD.

    METHOD delete.
    ENDMETHOD.

    METHOD read.
    ENDMETHOD.

    METHOD lock.
    ENDMETHOD.

ENDCLASS.

CLASS lsc_zbr_i_salesorder_um DEFINITION INHERITING
  FROM cl_abap_behavior_saver.
  PROTECTED SECTION.

    METHODS finalize REDEFINITION.

    METHODS check_before_save REDEFINITION.

    METHODS save REDEFINITION.

    METHODS cleanup REDEFINITION.

    METHODS cleanup_finalize REDEFINITION.

ENDCLASS.

CLASS lsc_zbr_i_salesorder_um IMPLEMENTATION.

  METHOD finalize.
  ENDMETHOD.

  METHOD check_before_save.
  ENDMETHOD.

  METHOD save.
  ENDMETHOD.

  METHOD cleanup.
  ENDMETHOD.
```

```
    METHOD cleanup_finalize.

    ENDMETHOD.

ENDCLASS.
```

무언가 엄청 많이 생성된 것 같은데 그림으로 보면 아래와 같습니다.

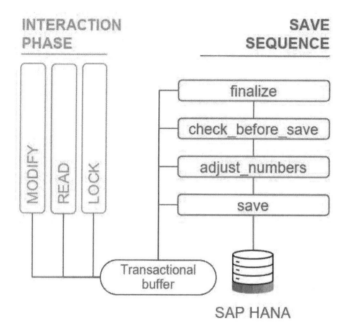

**Interaction Phase의 MODIFY단계가 create, update, delete Method를 나타냅니다.*

Behavior Definition과 Implementation Class를 Active하고 기존에 생성했던 Service Definition에 새로 Expose합니다.

```
@EndUserText.label: 'Sales'
define service Zbr_D_Sales {
  expose Zbr_P_SalesOrder as Orders;
  expose ZBR_P_SALESORDER_UM as OrdersUM;
}
```

Service Definition에만 Expose하면 Service Binding에는 자동으로 추가가 됩니다.

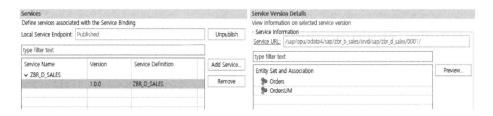

Preview를 해보면 데이터 조회가 됩니다.

기존 Projection View에서 Annotation까지 그대로 사용했기 때문에 Set Progress Action이 보이고, Draft를 사용하지 않았기 때문에 Delete버튼만 출력되고 있습니다.

1.1 Interaction Phase

Unmanaged시나리오에서는 모든 로직을 직접 구현해야 한다고 말씀드렸습니다. 그래서 Behavior Handler Class인 lhc_zbr_i_salesorder_um에는 create, update, delete, read, lock이란 Method가 생성되어져 있습니다.

RAP BO는 이 Interaction Phase의 Method들을 통해, 외부 세계의 Instance를 내부 시스템으로 전달하기 위한 상호 작용을 정의합니다. 이 상호작용은 내부 시스템과는 관계없이 Instance를 변경하거나 생성하는 등의 작업을 할 수 있습니다.

Standard Operation인 Create, Update, Delete외에도 각종 Action이나 Determination, Validation등도 Interaction Phase에서 선언되고 구현됩니다.

정확한 비교는 아니지만 이해를 돕기 위해 기존 Classic ABAP과 비교해 설명하자면, Internal Table의 데이터를 DB Table에 저장하기전 ALV에서 라인을 추가하거나, 삭제, 수정, Validation Check등의 작업을 하는것과 같은 역할을 수행하는 곳이라고 볼 수 있겠습니다.

1.2   Transactional Buffer

Interaction Phase에서 정의된 상호 작용을 통해 생성된 각종 데이터는 내부 시스템 영역인 Save Sequence로 전달되어야 합니다. 이때 Interaction Phase에서 직접 Save Sequence를 호출하는 것이 아니라 전달할 데이터를 Transactional Buffer에 담아 전달합니다.

Buffer라고 하니까 무언가 심오한 느낌이 있는데 Interaction Phase와 Save Sequence가 서로 다른 Class로 구성되기 때문에 직접 데이터를 전달할 수 없어 사용하는 Global 변수 정도로 이해해도 됩니다.

1.3   Save Sequence

Transactional Buffer에 있는 데이터를 내부 시스템에 적용하는 곳입니다. Save Sequence단계로 넘어온 Transactional Buffer의 데이터는 시스템에 반영할 준비가 된 정제된 데이터라고 볼 수 있습니다.

finalize, check_before_save, save, cleanup, cleanup_finalize등의 Method를 통해 내부시스템에 데이터를 저장하고 반영된 결과를 반환합니다.

2   Standard Operation

2.1   Read

다시 Unmanaged 시나리오로 개발된 List Report를 살펴보겠습니다. 우리가

Read Method에 아무 로직도 작성하지 않았음에도 데이터는 조회되고 있습니다.

CDS View를 기반으로 생성할 경우 Unmanaged시나리오도 기본적으로 조회기능은 제공하기 때문입니다. 그렇다면 Read Method는 언제 사용하는 걸까요?

Read Method는 Key로 조회되는 개별 Instance를 Read할 때 사용됩니다. Classic ABAP에서 SAP Gateway Project를 사용해 OData를 개발할 때 Data Provider Class(DPC)의 GET_ENTITY Method역할이라 생각하시면 됩니다. (GET_ENTITYSET Method의 역할은 이미 CDS View가 하고 있습니다.)

아래와 같이 Read로직을 구현합니다.

```
METHOD read.

  SELECT *

  FROM zbr_i_salesorder_um

  FOR ALL ENTRIES IN @keys

  WHERE sales_order_key = @keys-sales_order_key

    AND sales_order_id = @keys-sales_order_id

  INTO CORRESPONDING FIELDS OF TABLE @result.

ENDMETHOD.
```

2.2 Create

OData V4에서 Create기능을 사용하기 위해서는 Draft기능을 활성화해야 한다고 Managed시나리오 때 배웠습니다. Managed시나리오에서 작성했던 Behavior Definition을 참조하여 아래와 같이 수정합니다.

```
unmanaged implementation in class zbp_br_i_salesorder_um
unique;
strict ( 2 );
with draft;

define behavior for Zbr_I_SalesOrder_UM //alias <alias_name>
```

```
draft table zsnwd_so_dd
etag master changed_at
lock master
total etag changed_at
authorization master ( instance )
{
  create;
  update;
  delete;

  mapping for zsnwd_so corresponding
  {
    sales_order_key = node_key;
    sales_order_id = so_id;
    sales_opportunity_id = op_id;
  }

  draft action Resume;
  draft action Edit;
  draft action Activate;
  draft action Discard;
  draft determine action Prepare;

  field ( readonly )
      sales_order_key, sales_order_id, gross_amount, tax_amount;

}
```

기존 Managed 시나리오에서 사용하던 Draft Table zsnwd_so_d는 Late Numbering기능을 활성화하기 위해 DRAFTUUID필드를 추가했었습니다. 지금은 Late Numbering을 사용하지 않으니 새로운 Draft Table zsnwd_so_dd를 생성하여 사용하겠습니다.

```
define table zsnwd_so_dd {
  key mandt            : mandt not null;
  key sales_order_key  : snwd_node_key not null;
  key sales_order_id   : snwd_so_id not null;
  created_by_key       : snwd_node_key;
  changed_by_key       : snwd_node_key;
  created_at           : snwd_created_at;
  changed_at           : snwd_changed_at;
```

List Report에서 확인해 보면 Create버튼이 활성화되고, 값을 수정하면 Draft기능 도 정상적으로 동작하는 것을 알 수 있습니다.

106

New: Sales Order

Header	Sales Info

Object Information

Sales Order ID: First Name:
_   [   ]

Sales Info

Sales Order ID: Gross Amount: Tax Amount:
_   0   0

Opportunity ID: Net Amount: Lifecycle Status:
[   ]   [0]   [N   ]

Draft updated   **Create**   Discard Draft

그럼 Save도 될까요? 저장버튼을 누르면 저장되었다는 메시지는 나오지만 실제 저장은 되지 않습니다. 당연합니다. Create Method와 Save Method에 아무런 로직이 없으니까요.

이제 로직을 직접 작성하면서 Interaction Phase와 Transactional Buffer, Save Sequence의 용도를 확인해 보도록 하겠습니다.

우선 Key값에 대한 처리부터 해야 합니다. sales_order_key와 sales_order_id는 Managed시나리오와 마찬가지로 자동으로 채번되어야 합니다. Unmanaged 시나리오에서도 sales_order_key와 sales_order_id는 readonly로 설정했기 때문입니다.

Behavior에 Early Numbering을 선언하고 관련 Method를 생성하여 아래 로직을 추가합니다.

```
METHOD earlynumbering_create.
  DATA last_so_id_n TYPE n LENGTH 10.
  LOOP AT entities INTO DATA(entity).
    "Persistent 테이블 확인
    SELECT MAX( so_id ) INTO @DATA(last_so_id)
    FROM zsnwd_so.
    "Draft 테입블 확인
    SELECT MAX( sales_order_id ) INTO @DATA(last_so_id_d)
```

```
        FROM zsnwd_so_d.
        "최대값 결정 및 NUMC 타입으로 변환
        last_so_id_n = COND #( WHEN last_so_id > last_so_id_d
                               THEN last_so_id
                               ELSE last_so_id_d ).
        ADD 1 TO last_so_id_n.
        entity-sales_order_key =
                    cl_system_uuid=>create_uuid_x16_static( ).
        entity-sales_order_id = last_so_id_n.
        APPEND VALUE #( %cid    = entity-%cid
                        %key    = entity-%key
                        %is_draft = entity-%is_draft
                    ) TO mapped-zbr_i_salesorder_um.
      ENDLOOP.
  ENDMETHOD.
```

Early Numbering 로직을 구현했으니 이제 create Method에도 로직을 추가하겠습니다.

```
METHOD create.

    DATA : ls_order  TYPE zbp_br_i_salesorder_um=>ts_order,
           lv_failed TYPE flag.

    SELECT domvalue_l INTO TABLE @DATA(lt_dom)

    FROM dd07l

    WHERE domname = 'D_SO_LC'

    AND as4local = 'A'

    ORDER BY domvalue_l.


    LOOP AT entities INTO DATA(entity).

      CLEAR lv_failed.

      ls_order = CORRESPONDING #( entity MAPPING FROM ENTITY ).
********** Amount 계산 START **************

      IF ls_order-net_amount > 0.

        ls_order-tax_amount = ls_order-net_amount / 10.
```

```
              ls_order-gross_amount = ls_order-net_amount
                               + ls_order-tax_amount.
      ELSE.
        APPEND VALUE #( %cid = entity-%cid )
          TO failed-zbr_i_salesorder_um.
        APPEND VALUE #( %cid = entity-%cid
               %msg = new_message(
               id = '00'
               number = '001'
               severity = if_abap_behv_message=>severity-error
               v1 = 'Invalid Net Amount' ) )
                   TO reported-zbr_i_salesorder_um.
        lv_failed = abap_true.
      ENDIF.
********** Amount 계산 END *************

********** Lifecycle status Check START *************
      READ TABLE lt_dom TRANSPORTING NO FIELDS WITH KEY
             domvalue_l = entity-lifecycle_status BINARY SEARCH.

      IF sy-subrc NE 0.
        APPEND VALUE #( %cid = entity-%cid )
          TO failed-zbr_i_salesorder_um.
        APPEND VALUE #( %cid = entity-%cid
               %msg = new_message(
               id = '00'
```

```
                        number = '001'

                        severity = if_abap_behv_message=>severity-error

                        v1 = 'Invalid Lifecycle Status' ) )

                            TO reported-zbr_i_salesorder_um.

            lv_failed = abap_true.

        ENDIF.
*********** Lifecycle status Check END *************


        IF lv_failed = abap_false.

          APPEND ls_order

              TO zbp_br_i_salesorder_um=>mt_order_create.

        ENDIF.

      ENDLOOP.

    ENDMETHOD.
```

Net Amount와 Lifecycle Status필드값에 대한 Validation로직을 create Method에 추가했습니다. (따로 모듈화해야 하지만, 학습의 편의상 create Method안에 모두 작성했습니다.)

맨 마지막에 zbp_br_i_salesorder_um의 mt_order_create란 변수에 생성할 데이터 값을 임시 저장했습니다. 이 변수가 Transactional Buffer의 역할을 합니다.

Buffer는 여러 형태로 구성할 수 있습니다. 따로 Class(Local or Global)를 구성할 수도 있고, 이 예제처럼 단순하게 Global변수처럼 선언해서 사용해도 됩니다. Buffer는 Interaction Phase에서 처리된 데이터를 Save Sequence로 전달하기 위해 사용되는 임시 저장소이기 때문입니다.

전 Behavior Class의 Global영역에 Class변수로 선언했습니다.

```
▶ ℂ ZBP_BR_I_SALESORDER_UM ▶
1⊖ CLASS zbp_br_i_salesorder_um DEFINITION PUBLIC ABSTRACT FINAL FOR BEHAVIOR OF zbr_i_salesorder_um.
2     PUBLIC SECTION.
3        TYPES: ts_order TYPE zsnwd_so,
4               tt_order TYPE TABLE OF ts_order.
5        CLASS-DATA : mt_order_create TYPE tt_order,
6                     mt_order_update TYPE tt_order,
7                     mt_order_delete TYPE tt_order.
8  ENDCLASS.
9
10⊖ CLASS zbp_br_i_salesorder_um IMPLEMENTATION.
11 ENDCLASS.
     ‹
Global Class │ Class-relevant Local Types │ Local Types │ Test Classes │ Macros
```

2.3   Update

Update로직도 구현해 보겠습니다. 만약 List Report에서 Edit버튼을 클릭했을 때 다음과 같이 오류가 나면 Read Method를 구현하지 않아서 일 수 있습니다. 앞서 힉습했던 Read Method를 참고하여 먼저 구현하시기 바랍니다.

Read Method를 잘 구현했다면 Edit버튼 클릭시 수정 모드로 열리고 심지어 Draft기능도 동작합니다. (Draft최고!!)

이제 아래와 같이 Update로직을 구현합니다. (모듈화는 다음에..)

```
METHOD update.

    DATA : ls_order  TYPE zbp_br_i_salesorder_um=>ts_order,

           lv_failed TYPE flag.

    SELECT domvalue_l INTO TABLE @DATA(lt_dom)

    FROM dd07l
```

```abap
    WHERE domname = 'D_SO_LC'
    AND as4local = 'A'
    ORDER BY domvalue_l.


    LOOP AT entities INTO DATA(entity).
      CLEAR lv_failed.
      ls_order = CORRESPONDING #( entity MAPPING FROM ENTITY ).
*********** Amount 계산 START *************
      IF ls_order-net_amount > 0.
        ls_order-tax_amount = ls_order-net_amount / 10.
        ls_order-gross_amount = ls_order-net_amount
                              + ls_order-tax_amount.
      ELSE.
        APPEND VALUE #( sales_order_key = entity-sales_order_key
                        sales_order_id = entity-sales_order_id )
                    TO failed-zbr_i_salesorder_um.
        APPEND VALUE #( sales_order_key = entity-sales_order_key
                        sales_order_id = entity-sales_order_id
                         %msg = new_message(
                        id = '00'
                        number = '001'
                        severity = if_abap_behv_message=>severity-error
                        v1 = 'Invalid Net Amount' ) )
                        TO reported-zbr_i_salesorder_um.
        lv_failed = abap_true.
      ENDIF.
```

```
********** Amount 계산 END *************


********** Lifecycle status Check START *************
     READ TABLE lt_dom TRANSPORTING NO FIELDS
          WITH KEY domvalue_l = entity-lifecycle_status
          BINARY SEARCH.
     IF sy-subrc NE 0.
       APPEND VALUE #( sales_order_key = entity-sales_order_key
                  sales_order_id = entity-sales_order_id )
             TO failed-zbr_i_salesorder_um.
       APPEND VALUE #( sales_order_key = entity-sales_order_key
                  sales_order_id = entity-sales_order_id
             %msg = new_message(
               id = '00'
               number = '001'
               severity = if_abap_behv_message=>severity-error
               v1 = 'Invalid Lifecycle Status' ) )
             TO reported-zbr_i_salesorder_um.
       lv_failed = abap_true.
     ENDIF.
********** Lifecycle status Check END *************
     IF lv_failed = abap_false.
       APPEND ls_order
          TO zbp_br_i_salesorder_um=>mt_order_update.
     ENDIF.
   ENDLOOP.
```

```
ENDMETHOD.
```

Create Method 때와는 달리 failed나 reported에 %cid대신 실제 Key필드인 sales_order_key와 sales_order_id를 지정했습니다. Create의 경우 아직 실제 Key 값이 생성되지 않았을 수도 있기 때문에 %cid라는 임시 key를 사용한 것이고, Update는 이미 존재하는 Instance에 대한 기능이기 때문에 %cid가 존재하지 않으므로 실제 Key필드 값들을 사용합니다.

마지막으로 데이터에 문제가 없을 경우 Buffer에 해당 데이터를 저장합니다.

2.4 Delete

삭제 로직도 구현해 보겠습니다.

```
METHOD delete.
  LOOP AT keys INTO DATA(key).
    SELECT SINGLE *
    FROM zbr_i_salesorder_um
    WHERE sales_order_key = @key-sales_order_key
      AND sales_order_id = @key-sales_order_id
    INTO @DATA(order).

    IF sy-subrc NE 0.
      APPEND VALUE #( sales_order_key = key-sales_order_key
                      sales_order_id = key-sales_order_id )
               TO failed-zbr_i_salesorder_um.
      APPEND VALUE #( sales_order_key = key-sales_order_key
                      sales_order_id = key-sales_order_id
               %msg = new_message(
               id = '00'
               number = '001'
               severity = if_abap_behv_message=>severity-error
               v1 = 'Invalid Key Value' ) )
               TO reported-zbr_i_salesorder_um.
    ELSE.
      APPEND VALUE #( node_key = key-sales_order_key
                      so_id = key-sales_order_id )
               TO zbp_br_i_salesorder_um=>mt_order_delete.
    ENDIF.
  ENDLOOP.
ENDMETHOD.
```

Instance에 대한 삭제는 Key 필드만 전달받습니다. Delete도 Update와 마찬가지로 이미 존재하는 Instance에 대한 삭제이므로 실제 Key필드들을 사용합니다.

마지막으로 데이터에 문제가 없을 경우 Buffer에 해당 데이터를 저장합니다.

2.5   Save

지금까지 Create, Update, Delete 기능을 구현해 봤습니다. 하지만 실제적으로 Database Table에 데이터를 변경하지 않았습니다.

Interaction Phase에서 문제가 없었다면 RAP엔진은 자동적으로 Save Sequence를 실행하기 때문에, 이제 Save Sequence에서 Buffer에 있는 데이터를 Database Table에 적용해야 합니다.

```
METHOD save.
  INSERT zsnwd_so
  FROM TABLE zbp_br_i_salesorder_um=>mt_order_create.

  UPDATE zsnwd_so
  FROM TABLE zbp_br_i_salesorder_um=>mt_order_update.

  DELETE zsnwd_so
  FROM TABLE zbp_br_i_salesorder_um=>mt_order_delete.

ENDMETHOD.

METHOD cleanup.
  CLEAR : zbp_br_i_salesorder_um=>mt_order_create,
          zbp_br_i_salesorder_um=>mt_order_update,
          zbp_br_i_salesorder_um=>mt_order_delete.
ENDMETHOD.
```

단순하게 Buffer에 있는 데이터를 DB에 적용하고, Cleanup했습니다.

3   Nonstandard Operation

지금까지 Unmanaged 시나리오의 Standard Operation인 Create, Update, Delete,

Read, Save등의 기능을 구현해 봤습니다.

Unmanaged 시나리오도 Managed시나리오와 마찬가지로 Nonstandard Operation인 Action과 Function을 사용할 수 있습니다.

3.1 Action

Managed시나리오에서는 Instance Action을 학습했습니다. Instance Action은 하나 이상의 Instance를 지정하여 기능을 수행하는 Action입니다. Unmanaged시나리오에서도 Instance Action을 동일하게 사용할 수 있지만 이번에는 좀 다르게 Instance를 지정하지 않고 실행하는 Static Action을 구현해 보겠습니다.

Interface Behavior Definition에 static action을 추가합니다.

```
…

  field ( readonly )

    sales_order_key, sales_order_id, gross_amount, tax_amount;


  static action set_status_progress;

}
```

Managed시나리오에서 사용했던 set_status_progress를 그대로 사용하고 앞에 static옵션만 추가했습니다.

Projection Behavior Definition에도 use action set_status_progress를 추가합니다.

```
…

  use action set_status_progress;

}
```

Interface Behavior Definition에서 Quick Fix기능을 이용해 Method를 생성합니다.

```
METHOD set_status_progress.
```

```abap
UPDATE zsnwd_so
SET lifecycle_status = 'P'
WHERE lifecycle_status = 'N'.


IF sy-subrc EQ 0.
  LOOP AT keys INTO DATA(key).
    APPEND VALUE #( %cid = key-%cid
          %msg = new_message(
        id = '00'
        number = '001'
        severity = if_abap_behv_message=>severity-success
        v1 = sy-dbcnt && 'Recodes Status Updated' ) )
          TO reported-zbr_i_salesorder_um.
  ENDLOOP.
ELSE.
  LOOP AT keys INTO key.
    APPEND VALUE #(  %cid = key-%cid )
          TO failed-zbr_i_salesorder_um.
    APPEND VALUE #( %cid = key-%cid
          %msg = new_message(
        id = '00'
        number = '001'
        severity = if_abap_behv_message=>severity-success
        v1 = 'Status Update Error!!' ) )
          TO reported-zbr_i_salesorder_um.
  ENDLOOP.
```

```
   ENDIF.

ENDMETHOD.
```

List Report에서 실행해 보면 Instance를 선택하지 않아도 Set Progress버튼이 활성화되어 있는 것을 확인할 수 있습니다.

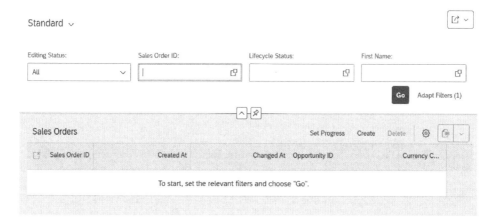

그리고 버튼을 클릭하면 작성한 로직에 의해서 lifecycle_status필드값이 N인 데이터는 모두 P로 변경되고, 메시지가 출력됩니다.

Static Action에는 Parameter를 줄 수도 있습니다. Parameter로는 CDS View 중 Abstract 타입(Abstract Entity)을 사용할 수 있습니다. Abstract Entity는 따로 Behavior등의 구현 로직을 가질 수 없는 유형으로 Metadata나 Annotation을 포함하는 Parameter로써 사용되는 Entity입니다.

새로운 Data Definition을 Abstract Entity로 생성합니다.

```
@EndUserText.label: 'Status Change Parameter'
```

```
define abstract entity ZBR_A_STATUS

{

  @EndUserText.label: 'From Status'

  StatusF : snwd_so_lc_status_code;

  @EndUserText.label: 'To Status'

  StatusT : snwd_so_lc_status_code;

}
```

생성한 Abstract Entity를 Static Action에 Parameter로 지정합니다.

```
...

  field ( readonly )

    sales_order_key, sales_order_id, gross_amount, tax_amount;


  static action set_status_progress parameter zbr_a_status;

}
```

이렇게 Action에 Parameter가 지정되면, Method의 keys에 %param하위로 값이
전달됩니다.

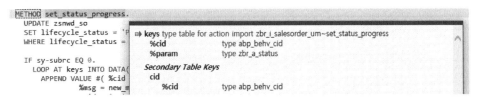

Method의 로직을 수정해 보겠습니다.

```
METHOD set_status_progress.

  LOOP AT keys INTO DATA(key).

    UPDATE zsnwd_so

    SET lifecycle_status = key-%param-statust
```

```
            WHERE lifecycle_status = key-%param-statusf.


        IF sy-subrc EQ 0.
          APPEND VALUE #( %cid = key-%cid
                %msg = new_message(
              id = '00'
              number = '001'
              severity = if_abap_behv_message=>severity-success
              v1 = sy-dbcnt && 'Recodes Status Updated' ) )
            TO reported-zbr_i_salesorder_um.
        ELSE.
          APPEND VALUE #(  %cid = key-%cid )
            TO failed-zbr_i_salesorder_um.
          APPEND VALUE #( %cid = key-%cid
                %msg = new_message(
              id = '00'
              number = '001'
              severity = if_abap_behv_message=>severity-success
              v1 = 'Status Update Error!!' ) )
            TO reported-zbr_i_salesorder_um.
        ENDIF.
      ENDLOOP.
    ENDMETHOD.
```

Keys를 loop돌면서(사실 UI에서는 무조건 1번만 요청이 들어오기 때문에 항상 1
건입니다.) From값을 찾아 To값으로 변경하게 작성하였습니다.

List Report에서 해당 기능을 실행해 보면 Pop Up창이 출력되면서 Parameter값을 입력 받을 수 있게 됩니다.

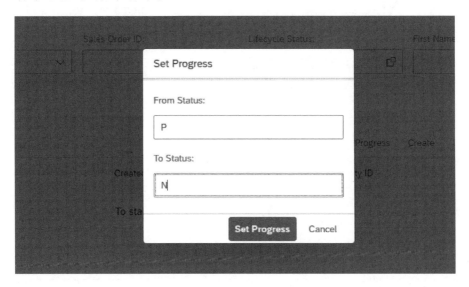

Static Action에 Input Parameter뿐 아니라 아래와 같이 Input Parameter뒤에 Output Parameter도 지정할 수 있습니다. Input Output을 동일한 Abstract Entity 를 사용해도 되고 서로 다른 Entity를 사용해도 됩니다. 새로운 Abstract Entity를 생성하고

```
@EndUserText.label: 'Status Change Parameter'
define abstract entity ZBR_A_STATUS_RESULT
{
  @EndUserText.label: 'Result Status'
  ResultStatus : abap.char(1);
  @EndUserText.label: 'Result Message'
  REsultMsg    : abap.char(30);
}
```

Action에 Output Parameter로 지정해 보겠습니다. result [1]은 Output이 1건 이 란 뜻이 됩니다.

```
static action set_status_progress
```

```
    parameter zbr_a_status result [1] zbr_a_status_result;
```

Action에 Output Parameter가 추가되면 Method에도 result Parameter가 추가되어야 합니다.

```
METHODS set_status_progress FOR MODIFY
    IMPORTING keys
    FOR ACTION zbr_i_salesorder_um~set_status_progress
    RESULT result.
```

이렇게 되면 result parameter를 통해 결과를 전달할 수 있습니다.

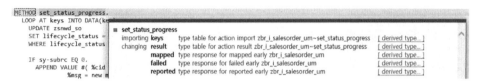

소스코드에 result parameter에 값을 넣는 로직만 추가해 보겠습니다.

```
...
  IF sy-subrc EQ 0.
    APPEND VALUE #( %cid = key-%cid
                    %param = VALUE #( resultstatus = 'S'
                                      resultmsg = 'Sucess' ) )
           TO result.
...
```

List Report에서 테스트해보면 아무 변화가 없습니다. List Report는 Static Action의 Output Parameter에 대한 처리를 지원하지 않기 때문입니다. 하지만 브라우저 디버깅 모드에서 보면 Output Parameter에 값이 리턴 되는 것을 확인할 수 있습니다.

3.2 Function

Managed 시나리오에서는 다루지 않았지만 Nonstandard Operation중엔 Function도 있습니다.

Action은 전달받은 데이터로 BO에 대한 입력/수정/삭제 등의 기능을 구현할 수 있는 반면, Function은 전달받은 데이터로 BO의 데이터를 계산하거나 읽기 기능을 수행합니다. 기술적으로만 말한다면 Action은 HTTP Method중 POST에 의해 호출되고, Function은 GET Method를 통해 호출됩니다.

```
static function get_status_sum result [0..*] $self;
```

Function은 Action과 다르게 List Report에서 기본 기능을 통해 호출할 수 없습니다. 따로 버튼을 생성하고, SAPUI5 코딩을 통해 호출해야 합니다.

Lifecycle Status별 금액 필드들의 합을 구하는 Function은 아래와 같이 구현될 수 있습니다.

```
METHOD get_status_sum.
   SELECT lifecycle_status ,
      SUM( gross_amount ) AS gorss_amount,
      SUM( net_amount ) AS net_amount,
      SUM( tax_amount ) AS tax_amount
   FROM zbr_i_salesorder
   GROUP BY lifecycle_status
   INTO TABLE @DATA(orders).


   result = VALUE #( FOR order IN orders (
                    %cid = keys[ 1 ]-%cid
                    %param = CORRESPONDING #( order ) ) ).
   ENDMETHOD.
```

이렇게 생성된 Function은 SAPUI5소스코드를 통해 아래와 같이 호출되어 사용될 수 있습니다.

```
callFunctionGetStatusSum: function (oEvent) {

    var oModel = this._view.getModel(),

    oContext =
oModel.bindContext("/OrdersUM/com.sap.gateway.srvd.zbr_d_sales.
v0001.get_status_sum(...)");

    oContext.execute().then(

        function () {

          console.log(

              oContext.getBoundContext().getObject().value);

        },

        function (oError) {

            alert("Error");

        });

}
```

**bindContext에 전달되는 path는 /+EntityPath+/+namespace+function명+(...) 형식 입니다. 맨 뒤(...)은 고정 값입니다. Function에 Parameter가 있을 경우 SAPUI5엔진이 맨 뒤 (...)값을 해당 Parameter로 변환해 줍니다.*

Function을 호출하면 아래와 같이 Payload가 전달되고, (GET방식으로 호출)

124

결과값이 반환됩니다.

```
Console
top ▼    Filter
▼ [{…}] 🅱
  ▶ 0: {sales_order_key: '00000000-0000-0000-0000-000000000000', sales_order_id: '', created_by_key: '00000000-0000-0000-0000-000000000000', changed
    length: 1
  ▶ [[Prototype]]: Array(0)
> |
```

4   Custom Entity

지금까지 CDS View를 기반으로 동작하는 OData에 대해 학습했습니다. CDS View
는 Database Table을 기반으로 생성되니, 모든 OData는 Database Table이 있어
야 한다는 말이 됩니다. 하지만, 데이터를 전달받아 BAPI등을 호출해야 하는 경우
는 어떨까요? 이런 경우를 위해 DB Table없이 구조체로만 CDS View를 정의하여
OData를 생성할 수 있는 기능을 제공합니다. 이러한 CDS View를 Custom Entity
라고 합니다.

Custom Entity를 생성해 보겠습니다.

```
@EndUserText.label: 'Sales Order'
@ObjectModel.usageType:{
 serviceQuality: #X,
 sizeCategory: #S,
 dataClass: #MIXED
}
define root custom entity Zbr_U_SalesOrder
{
 @UI.facet : [{ id: 'idSalesGroup',
       purpose : #STANDARD,
       type : #FIELDGROUP_REFERENCE,
```

```
      label : 'Sales Info',

      targetQualifier: 'qfSalesInfo'

      }

]


key sales_order_key  : snwd_node_key;

@UI :{ lineItem: [ { position:10 } ],

selectionField : [{ position:10 }] }

@UI.fieldGroup : [{ qualifier: 'qfSalesInfo', position: 10 }]

key sales_order_id : snwd_so_id;

    created_by_key : snwd_node_key;

    changed_by_key : snwd_node_key;

    @UI.lineItem :[{position: 20}]

    created_at : snwd_created_at;

    @UI.lineItem :[{position: 30}]

    changed_at : snwd_changed_at;

    created_by_id : snwd_employee_id;

    changed_by_id : snwd_employee_id;

    note_key : snwd_node_key;

    @UI.lineItem :[{position: 40}]

    @UI.fieldGroup : [{ qualifier: 'qfSalesInfo',

                       position: 20 }]

    sales_opportunity_id : snwd_op_id;

    @UI.lineItem :[{position: 50}]

     @Semantics.currencyCode: true

    currency_code : snwd_curr_code;
```

```
@UI.lineItem :[{position: 60}]

@UI.fieldGroup : [{ qualifier: 'qfSalesInfo',
                    position: 30 }]

@Semantics.amount.currencyCode : 'currency_code'

gross_amount : snwd_ttl_gross_amount;

@UI.lineItem :[{position: 70}]

@UI.fieldGroup : [{ qualifier: 'qfSalesInfo',
                    position: 40 }]

@Semantics.amount.currencyCode : 'currency_code'

net_amount : snwd_ttl_net_amount;

@UI.lineItem :[{position: 80}]

@UI.fieldGroup : [{ qualifier: 'qfSalesInfo',
                    position: 50 }]

@Semantics.amount.currencyCode : 'currency_code'

tax_amount : snwd_ttl_tax_amount;

@UI :{ lineItem: [ { position:90 } ],

selectionField : [{ position:20 }] }

@UI.fieldGroup : [{ qualifier: 'qfSalesInfo',
                    position: 60 }]

lifecycle_status : snwd_so_lc_status_code;

@UI.lineItem :[{position: 100}]

billing_status : snwd_so_cf_status_code;

@UI.lineItem :[{position: 110}]

delivery_status : snwd_so_or_status_code;

buyer_key : snwd_node_key;

@UI :{ lineItem: [ { position:120 } ],
```

```
    selectionField : [{ position:40 }] }

    first_name : snwd_first_name;

    @UI.lineItem :[{position: 130}]

    email_address : snwd_email_address;

    @UI.lineItem :[{position: 140}]

    phone_number : snwd_phone_number;

}
```

Define custom entity로 시작하는 Custom Entity는 Table을 선언하는 것과 마찬가지의 Syntax로 선언할 수 있습니다. 또한 CDS View의 특성도 가지기 때문에 Annotation을 사용할 수도 있습니다.

이 상태로 Custom Entity를 Active한 뒤에 Service Definition에 Expose하고 Preview해 보겠습니다.

```
@EndUserText.label: 'Sales'
define service Zbr_D_Sales {
  expose Zbr_P_SalesOrder as Orders;
  expose ZBR_P_SALESORDER_UM as OrdersUM;
  expose Zbr_U_SalesOrder as OrdersCust;
}
```

Service Binding에서 OrderCust를 Preview해 보면, 데이터는 조회되지 않지만 Annotation이 적용된 List Report는 출력되는 것을 확인할 수 있습니다.

이제 데이터 조회 기능을 추가해 보도록 하겠습니다.

4.1 Implementation Class

Custom Entity는 데이터 조회를 위해 Interface if_rap_query_provider를 상속한 Class를 구현해야 합니다. Interface if_rap_query_provider는 select라는 Method를 가지고 있기 때문에 상속받은 Class에서 Select Method를 Redefine하여 데이터를 반환할 수 있습니다.

Custom Entity상단에 Implementation Class를 지정합니다.

```
@ObjectModel.query.implementedBy: 'ABAP:ZCL_BR_SALESORDER'
define root custom entity Zbr_U_SalesOrder
{
…
```

신규 Class ZCL_BR_SALESORDER를 생성합니다.

Package: *	ZBRD	Browse...
☐ Add to favorite packages		
Name: *	ZCL_BR_SALESORDER	
Description: *	Sales Order	
Original Language:	EN	
Superclass:		Browse...
Interfaces:	❶ IF_RAP_QUERY_PROVIDER	Add...
		Remove

이제 필요에 따라 select Method안에 로직을 작성하면 됩니다. BAPI, RFC, Class등을 호출해서 데이터를 추출하거나 혹은 직접 로직을 작성해도 됩니다.

기본적은 구조는 아래와 같습니다.

```
METHOD if_rap_query_provider~select.

    DATA(lo_paging) = io_request->get_paging( ).
```

```
    SELECT *

    FROM zbr_i_salesorder

    INTO TABLE @DATA(lt_result).


    IF io_request->is_data_requested( ) = abap_true.

      io_response->set_data( lt_result ).

    ENDIF.


    IF io_request->is_total_numb_of_rec_requested( ).

      io_response->set_total_number_of_records(

                                         lines( lt_result ) ).

    ENDIF.

  ENDMETHOD.
```

이정도만 되어도 데이터 조회를 할 수 있습니다. 하지만 Query와 관련된 기본 기
능인 filtering, sorting, paging등의 기능을 구현하려면 추가적으로 로직을 작성해
야 합니다.

Sorting과 Paging, Filtering기능을 구현해 보겠습니다.

```
METHOD if_rap_query_provider~select.

    DATA(lo_paging) = io_request->get_paging( ).

    DATA(lv_where) = cl_abap_dyn_prg=>escape_quotes_str(

            io_request->get_filter( )->get_as_sql_string( ) ).

    IF io_request->is_data_requested( ) = abap_true.

      DATA(lv_offset) = lo_paging->get_offset( ).

      DATA(lv_pagesize) = lo_paging->get_page_size( ).

      DATA(lv_max_rows) = COND #( WHEN lv_pagesize =
```

```abap
                         if_rap_query_paging=>page_size_unlimited
                                  THEN 0
                                  ELSE lv_pagesize + lv_offset ).
DATA lv_sort_string TYPE string.
DATA(lt_sort_list) =
  VALUE string_table( FOR sort_element
                       IN io_request->get_sort_elements( )
                       ( sort_element-element_name
                         && COND #( WHEN sort_element-descending
                                      = abap_true
                                    THEN ' descending'
                                    ELSE ' ascending' ) ) ).
lv_sort_string = COND #( WHEN lt_sort_list IS INITIAL
                         THEN 'sales_order_key'
                         ELSE concat_lines_of( table =
                                   lt_sort_list sep =
                                   ' ,' ) ).
IF lv_pagesize < 1.
  lv_pagesize = 1.
ENDIF.


SELECT *
FROM zbr_i_salesorder
WHERE (lv_where)
ORDER BY (lv_sort_string)
INTO TABLE @DATA(lt_result)
```

```
    UP TO @lv_pagesize ROWS

    OFFSET @lv_offset.


    io_response->set_data( lt_result ).
  ENDIF.
  IF io_request->is_total_numb_of_rec_requested( ).
    SELECT COUNT( * )
    FROM zbr_i_salesorder
    WHERE (lv_where)
    INTO @sy-dbcnt.
    io_response->set_total_number_of_records(
                                  CONV int8( sy-dbcnt ) ).
  ENDIF.
ENDMETHOD.
```

4.2 Behavior

Custom Entity는 Table을 바라보지 않기 때문에 Managed시나리오를 사용할 수 없습니다. 데이터 입력/수정/삭제 등을 위해 Behavior를 생성해야 한다면 Unmanaged 시나리오를 적용해야 합니다.

기존의 Unmanaged시나리오를 참조하여 Behavior Definition을 아래와 같이 생성하고, Quick Fix기능을 이용하여 Implementation Class도 생성합니다.

```
unmanaged implementation in class zbp_br_u_salesorder unique;
strict ( 2 );
define behavior for Zbr_U_SalesOrder //alias <alias_name>
etag master changed_at
```

```
lock master
authorization master ( instance )
{
  create;
  update;
  delete;
  mapping for zsnwd_so corresponding
  {
    sales_order_key = node_key;
    sales_order_id = so_id;
    sales_opportunity_id = op_id;
  }


  field ( readonly )
      sales_order_key, sales_order_id, gross_amount, tax_amount;
}
```

이제 Behavior와 Implementation Class를 Active하고 Preview해보면 List Report
가 출력됩니다.

Create버튼은요? 이전에 설명했듯이 OData V4는 Draft 기능을 활성화해야만
Create와 Edit기능을 사용할 수 있습니다. 하지만 Custom Entity는 Draft기능을
지원하지 않습니다. 즉, OData V4가 아닌 OData V2로 생성된 Service Binding을
Preview해야 Create와 Edit기능을 확인할 수 있습니다.

우리는 이전에 Managed 시나리오를 학습하면서 ZBR_B_SALES_V2라는 OData V2의 Service Binding을 생성한 적이 있습니다.

여러분이 저와 동일하게 학습을 진행했다면, ZBR_B_SALES_V2에 아래와 같이 오류가 표시되고 있을 겁니다.

바인딩 된 여러 CDS View에서 동일한 action명이 선언되어 발생하는 오류입니다. OData V4에서는 이를 허용하지만 V2에서는 허용하지 않습니다.

Service Definition에 가서 Orders와 OrdersUM을 삭제하겠습니다.

이제 OData V2에서 Preview를 해보면 Create버튼이 출력되는 것을 확인할 수 있습니다.

Line Item을 클릭하여 상세 화면으로 이동을 하면 오류가 발생합니다. 디버깅을 해보면 Implementation Class의 select Method에서 덤프가 발생하고, 원인은 lv_pagesize값이 -1이기 때문입니다.

SELECT구문 위에 IF문을 하나 추가하여 처리하도록 합니다.

```
IF lv_pagesize < 1.
  lv_pagesize = 1.
ENDIF.

SELECT *
FROM zbr_i_salesorder
WHERE (lv_where)
```

Create, Edit, Delete, Read는 이전에 배운 Unmanaged시나리오와 동일하기 때문에 설명은 생략하도록 하겠습니다. 각자 구현해 보시기 바랍니다.

5 Composition

View Entity방식의 CDS View가 소개되면서 새로 추가된 구문이 있습니다. Composition입니다. 기존 CDS View에서는 두개의 Table 혹은 View를 연결할 때 Join이나 Association을 사용했습니다.

Join은 기존의 여러 RDBMS에서부터 사용되었던 구문이고, Association은 Lazy Join이라 하여 실제 해당 Entity에 대한 조회가 있을 때 만 Join연산이 일어나게 하는 구문입니다. 이에 더해 Association은 [0..1] [1..1] [1..*] [0..*]과 같이 Cardinality에 대한 정의와 Entity간의 이동에 대한 의미까지도 포함했습니다.

Composition은 기존 Association의 기능에 더해 두 Entity간의 계층관계까지 정의합니다. 즉 두 Entity간의 부모 자식 관계를 지정함으로써 상위 Entity가 하위 Entity를 종속관계로 가지게 됩니다.

예를 들어 Sales Order가 삭제되면? 당연히 Sales Order Item도 함께 삭제되어야 합니다. 이런 관계가 Composition입니다. 혹은 Sales Order가 없이 Sales Order Item이 생성될 수 있을까요? 당연히 안됩니다. 부모가 없는 자식은 존재할 수 없기 때문입니다. 반대로 Sales Order Item이 없이 Sales Order가 생성될 수 있을까요? 이건 됩니다. 비즈니스 환경에 따라 다르겠지만 논리적으로는 자식이 없는 부모는 존재할 수 있으니까요.

그래서 Association과는 다르게 계층관계인 두 Entity는 서로를 바라보게 구성됩니다.

5.1 Interface View Composition

CDS View Zbr_I_SalesOrder_CP를 새로 만들어 보겠습니다.

```
@AccessControl.authorizationCheck: #NOT_REQUIRED

@EndUserText.label: 'Sales Order Composition Parent'

define root view entity Zbr_I_SalesOrder_CP

  as select from zsnwd_so

  composition [1..*] of Zbr_I_SalesOrderItem_CP as items

  association [0..1] to sepm_sddl_employees

  as created_by_employee

  on $projection.created_by_key =
created_by_employee.employee_key

  association [0..1] to sepm_sddl_employees

  as changed_by_employee

  on $projection.changed_by_key =
changed_by_employee.employee_key

  association [1..1] to tcurc

  as currency

  on $projection.currency_code = currency.waers

{

  key   node_key                    as sales_order_key,

        so_id                       as sales_order_id,

        created_by                  as created_by_key,

        changed_by                  as changed_by_key,
```

136

> ...

기존에 사용하던 CDS View Zbr_I_SalesOrder를 복사해서 Zbr_I_SalesOrder_CP를 생성했습니다. 그리고 스탠다드 CDS View sepm_sddl_salesorder_item을 Association하던 구문을 Zbr_I_SalesOrderItem_CP란 CDS View를 Composition하는 것으로 변경하였습니다.

그리고 Association과는 다르게 Composition관계에서는 부모가 가지는 모든 Key 필드를 자식도 모두 가져야 합니다. 기존 CDS View인 Zbr_I_SalesOrder는 Behavior의 Numbering기능을 학습하기 위해 sales_order_id까지 Key로 지정했는데, 여기서는 제외했습니다.

CDS View sepm_sddl_salesorder_item를 복사해 자식이 되는 CDS View도 만들어 보겠습니다.

```
@AbapCatalog.viewEnhancementCategory: [#NONE]
@AccessControl.authorizationCheck: #NOT_REQUIRED
@EndUserText.label: 'Sales Order Item Composition Child'
@Metadata.ignorePropagatedAnnotations: true
@ObjectModel.usageType:{
    serviceQuality: #X,
    sizeCategory: #S,
    dataClass: #MIXED
}
define view entity Zbr_I_SalesOrderItem_CP
  as select from snwd_so_i
  association      to parent Zbr_I_SalesOrder_CP     as header
  on $projection.sales_order_key = header.sales_order_key
  association [1]    to sepm_sddl_salesorder_iteml
```

```
   as schedule_line

   on $projection.item_key = schedule_line.sales_order_item_key

   association [0..1] to sepm_sddl_text_original_langu

   as original_note_language

   on $projection.note_key =
original_note_language.text_original_language_key

   association [0..*] to sepm_sddl_text_data

   as note_texts

   on $projection.note_key = note_texts.original_lanuage_key

   association [1]    to sepm_sddl_product

   as product

   on $projection.product_key = product.product_key

   association [1]    to sepm_sddl_salesorder_head

   as sales_order

   on $projection.sales_order_key = sales_order.sales_order_key

   association [0..1] to sepm_sddl_goods_issue_item

   as goods_issue_item

   on $projection.item_key = goods_issue_item.item_key

   association [1]    to tcurc

   as currency

   on $projection.currency_code = currency.waers
{
  key node_key     as item_key,
      parent_key   as sales_order_key,
      so_item_pos  as item_position,
      product_guid as product_key,
```

```
        note_guid    as note_key,

        op_item_pos  as sales_opportunity_item_pos,

        currency_code,

        @Semantics.amount.currencyCode: 'CURRENCY_CODE'

        gross_amount,

        @Semantics.amount.currencyCode: 'CURRENCY_CODE'

        net_amount,

        @Semantics.amount.currencyCode: 'CURRENCY_CODE'

        tax_amount,



        header,

        item_atp_status,

        schedule_line,         // association

        original_note_language, // association

        note_texts,            // association

        product,               // association

        sales_order,           // association

        goods_issue_item,

        currency

}
```

association to parent란 구문을 이용해 부모가 되는 CDS View를 연결했고
header란 association을 사용할 수 있도록 필드 선언 영역에 추가했습니다.

*** sepm_sddl_salesorder_item는 RAP를 위해 만들어진 CDS View가 아닙니다.*

그러다 보니 View Entity에서 사용할 수 없는 Annotation인

@Semantics.currencyCode란   Annotation이   사용되었고,   Association시 $projection구문없이 필드가 연결되어 있습니다. 위 소스코드를 참조하여 수정하 시기 바랍니다.

이제 두 CDS View를 동시에 Active합니다.

5.2 Projection View Composition

Projection View도 만들어 보겠습니다. Interface View를 직접 Service Definition에 지정하여 OData와 연결할 수도 있지만, 되도록 (꼭) Projection View를 만들어 사 용하는 습관이 필요합니다.

Interface View Zbr_I_SalesOrder_CP에 마우스를 대고 오른클릭을 하여 New Data Definition을 선택하면 Projection View를 쉽게 생성할 수 있습니다.

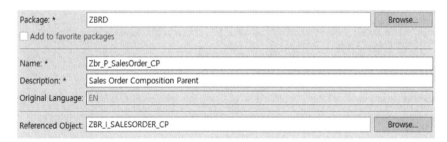

View Template은 Define Projection View를 지정합니다.

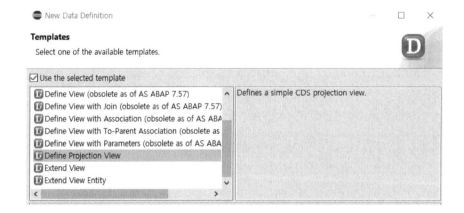

아래와 같이 root key word를 추가합니다.

```
@EndUserText.label: 'Sales Order Composition Parent'
@AccessControl.authorizationCheck: #NOT_REQUIRED
define root view entity Zbr_P_SalesOrder_CP
  as projection on Zbr_I_SalesOrder_CP
{
  key sales_order_key,
      sales_order_id,
      created_by_key,
      changed_by_key,
      created_at,
      changed_at,
      created_by_id,
      changed_by_id,
      note_key,
      sales_opportunity_id,
      currency_code,
      gross_amount,
      net_amount,
      tax_amount,
      lifecycle_status,
      billing_status,
      delivery_status,
      buyer_key,
      first_name,
      email_address,
```

```
        phone_number,


        /* Associations */

        changed_by_employee,

        created_by_employee,

        items

}
```

동일한 방식으로 Zbr_I_SalesOrderItem_CP를 Projection하는 CDS View도 생성합니다.

```
@EndUserText.label: 'Sales Order Item Composition Child'
@AccessControl.authorizationCheck: #NOT_REQUIRED
define view entity Zbr_P_SalesOrderItem_CP
  as projection on Zbr_I_SalesOrderItem_CP
{
  key item_key,
      sales_order_key,
      item_position,
      product_key,
      note_key,
      sales_opportunity_item_pos,
      currency_code,
      gross_amount,
      net_amount,
      tax_amount,
      item_atp_status,
```

```
    /* Associations */

    header,

    note_texts,

    original_note_language,

    product,

    sales_order,

    schedule_line,

    currency,

    goods_issue_item

}
```

여기 까지만 하고 Service Definition을 아래와 같이 수정해 보겠습니다. 기존 expose를 삭제하고 새로운 expose를 지정합니다.

```
@EndUserText.label: 'Sales'

define service Zbr_D_Sales {

  expose Zbr_P_SalesOrder_CP as Orders;

  expose Zbr_P_SalesOrderItem_CP as Items;

}
```

Service Definition을 Active하고 Service Binding을 확인해 보겠습니다.

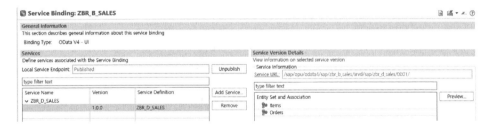

Entity Set and Association에 두 Entity가 표시되고 있습니다. Service Binding에 표시되는 Entity Set and Association은 외부에 노출될 OData Service의 형태를 표시합니다. 그런데 두 Entity간에 계층구조가 표현되지 않고 있습니다.

우리는 Interface View에만 Composition으로 계층 구조를 지정하고 이 Interface View를 외부에 노출하는 역할을 하는 Projection View에는 계층 구조를 지정하지 않았습니다. 그렇기 때문에 Service Binding 입장에서는 알 수가 없는 것입니다.

Projection View에 아래와 같이 옵션을 추가 코딩 해야 합니다.

1) Zbr_P_SalesOrder_CP

```
...

    created_by_employee,

    items  : redirected to composition

            child Zbr_P_SalesOrderItem_CP

}
```

2) Zbr_P_SalesOrderItem_CP

```
...

/* Associations */

    header : redirected to parent Zbr_P_SalesOrder_CP,

    note_texts,

    original_note_language,

...
```

이제 두 CDS View를 한번에 Active하고 Service Binding을 확인해 보면 두 Entity가 계층구조로 연결된 것을 확인할 수 있습니다.

5장. Fiori Element

Composition장에서 생성한 CDS View를 기초로 Annotation에 대한 학습을 추가적으로 해보겠습니다.

Fiori Element인 List Report, Overview Page, Analytical List Page등은 Annotation을 통해 UI를 출력합니다. 우리는 이전까지의 학습과정에서 @UI namespace에 속하는 Annotation들을 다루어 봤습니다. List에 Column을 추가하는 lineItem과 필터를 추가하는 selectionField등입니다.

단순한 검색과 결과값 출력이 아닌 좀더 실무에서 사용 가능한 형태의 Fiori App을 개발해 보도록 하겠습니다.

1 List Report

우선 Projection View Zbr_P_SalesOrder_CP에 아래와 같이 기본적인 Annotation을 추가합니다.

```
@EndUserText.label: 'Sales Order Composition Parent'
@AccessControl.authorizationCheck: #NOT_REQUIRED
```

```
@UI:{ headerInfo: { typeNamePlural: 'Sales Orders'  } }
define root view entity Zbr_P_SalesOrder_CP
  as projection on Zbr_I_SalesOrder_CP
{
  key    sales_order_key,
         @UI:{ lineItem: [ { position:10 } ],
              selectionField: [{ position:10 }] }
         sales_order_id,
         created_by_key,
         changed_by_key,
         @UI.lineItem:[{position: 20}]
         created_at,
         @UI.lineItem:[{position: 30}]
         changed_at,
         created_by_id,
         changed_by_id,
         note_key,
         @UI.lineItem:[{position: 40}]
         sales_opportunity_id,
         @UI.lineItem:[{position: 50}]
         currency_code,
         @UI.lineItem:[{position: 60}]
         gross_amount,
         @UI.lineItem:[{position: 70}]
         net_amount,
         @UI.lineItem:[{position: 80}]
```

```
        tax_amount,

        @UI:{ lineItem: [ { position:90 } ],

                selectionField: [{ position:20 }] }

        lifecycle_status,

        @UI.lineItem:[{position: 100}]

        billing_status,

        @UI.lineItem:[{position: 110}]

        delivery_status,

        buyer_key,

        @UI:{ lineItem: [ { position:120 } ],

                selectionField: [{ position:40 }] }

        first_name,

        @UI.lineItem:[{position: 130}]

        email_address,

        @UI.lineItem:[{position: 140}]

        phone_number,


        /* Associations */

        changed_by_employee,

        created_by_employee,

        items : redirected to composition

                child Zbr_P_SalesOrderItem_CP

}
```

@UI.lineItem으로 리스트에 출력할 필드를 지정했고, @UI.selectionField로 검색 필드를 지정했습니다. Annotation은 동일한 namespace의 경우 Json형태의 데이터 표현방식처럼 묶어서 표현할 수 있습니다.

Service Binding의 Preview기능을 사용하여 결과를 확인해 봅니다.

1.1 Value Help

상단에 Lifecycle Status가 필터로 등록되어져 있습니다. Lifecycle Status에 사용될 수 있는 값은 N, P, C, X등이 있는데 사용자는 이걸 모두 알고 있을 수 없습니다. 시스템은 당연히 입력 가능한 값을 제시해야 하며, 이를 Value Help라고 부릅니다. Classic ABAP프로그램에서 사용하는 Search Help와 같은 개념으로 이해하시면 되겠습니다.

lifecycle_status필드에 Value Help를 추가해 보겠습니다.

```
...
        @UI:{ lineItem: [ { position:90 } ],
              selectionField: [{ position:20 }] }
        @Consumption.valueHelpDefinition: [
              { entity: {
                     name: 'SEPM_I_SlsOrdLifeCycleStatus',
                     element: 'SalesOrderLifeCycleStatus' }}]
        lifecycle_status,

...
```

이미 존재하는 CDS View인 SEPM_I_SlsOrdLifeCycleStatus를

@Consumption.valueHelpDefinition이란 Annotation으로 추가했습니다.

lifecycle_status필드와 연결되는 필드는 element Property값인

SalesOrderLifeCycleStatus입니다.

이제 List Report의 Lifecycle Status필터에 Value Help가 추가되었습니다.

1.2 Code Text

Grid의 Lifecycle Status필드값을 보면 N, P등과 같이 Code값이 출력되고 있습니다. 사용자는 이 값만 보고는 무슨 의미인지 알 수 없기 때문에 코드 값에 해당하는 Text를 출력할 필요가 있습니다.

우선 Interface View에 Lifecycle Status의 Text를 가지는 CDS View를 새로 Association으로 연결하고 Text필드인 SalesOrderLifeCycleStatusName을 추가하겠습니다.

```
...
define root view entity Zbr_I_SalesOrder_CP
```

```
   as select from zsnwd_so

   composition [1..*] of Zbr_I_SalesOrderItem_CP

   as items

...

   association [1..*] to SEPM_I_SlsOrdLifeCycleStatusT

   as lifecycleT

   on $projection.lifecycle_status =

                           lifecycleT.SalesOrderLifeCycleStatus

{

  key    node_key                        as sales_order_key,

...

       lifecycle_status,

       lifecycleT.SalesOrderLifeCycleStatusName

       as lifecycle_statusT,

       billing_status,

...

       // association

       created_by_employee,

       changed_by_employee,

       items,

       lifecycleT

}
```

Projection View에 lifecycle_statusT필드를 추가합니다.

그리고 lifecycle_status필드에 @ObjectModel.text.element란 Annotation을 사용해 text필드가 lifecycle_statusT라고 지정한 다음, Code가 아닌 Text로 출력되도록

@UI.textArrangement Annotation도 추가합니다.

```
...
        @UI:{ lineItem: [ { position:90 } ],
            selectionField: [{ position:20 }] }
        @Consumption.valueHelpDefinition: [
            { entity: {
                    name: 'SEPM_I_SlsOrdLifeCycleStatus',
                    element: 'SalesOrderLifeCycleStatus' }}]
        @UI.textArrangement: #TEXT_ONLY
        @ObjectModel.text.element: ['lifecycle_statusT']
        lifecycle_status,
        lifecycle_statusT,
        @UI.lineItem:[{position: 100}]
        billing_status,
...
```

결과를 보면 Lifecycle Status값이 코드가 아닌 Text로 출력되는 것을 확인할 수
있습니다.

혹시 결과값에서 이상한 점을 느끼셨나요? 데이터가 중복으로 출력되고 있습니다.
Code에 대한 Text값이 언어별로 있다 보니 Association연산을 하면서 데이터가
중복 출력되고 있습니다.

Lifecycle Status의 Text가 들어있는 CDS View의 데이터를 확인해 보면 여러 언어로 등록되어 있는 것을 알 수 있습니다.

단순히 Association에 Language를 지정하여 해결할 수도 있지만, 바람직한 방법은 @ObjectModel.text.association이란 Annotation을 이용해서 Association을 기반으로 Text를 출력하는 것 입니다.

Interface View로 가서 lifecycle_status필드에 Annotation을 추가하고 lifecycle_statusT필드는 삭제합니다. (Projection View가 아닌 Interface View입니다.)

```
…

        @ObjectModel.text.association: 'lifecycleT'

        lifecycle_status,

        lifecycleT.SalesOrderLifeCycleStatusName as
lifecycle_statusT,

…
```

다시 Projection View로 가서 lifecycle_statusT필드를 Association에서 가져오도록 변경합니다.

```
…

    @UI:{ lineItem: [ { position:90 } ],

        selectionField: [{ position:20 }] }

    @Consumption.valueHelpDefinition: [
```

```
        { entity: {

                name: 'SEPM_I_SlsOrdLifeCycleStatus',

                element: 'SalesOrderLifeCycleStatus' }}]
    @UI.textArrangement: #TEXT_ONLY

    @ObjectModel.text.element: ['lifecycle_statusT']

    lifecycle_status,

    lifecycleT.SalesOrderLifeCycleStatusName

    as lifecycle_statusT : localized,
...
```

lifecycle_statusT 필드 뒤에 붙은 localized옵션은 접속한 사용자의 지정 언어를 확인하여 해당 언어의 Text를 Association에서 가져와 출력합니다.

이제 결과를 확인하면 데이터 중복 없이 Code값이 Text로 출력되는 것을 확인할 수 있습니다.

Sales Order ID	Created At	Changed At	Opportunity ID	Currency C...	Gross Amount	Net Amount	Tax Amount	Lifecycle Status
500000001	Oct 24, 2023, 12:00:00 AM	Oct 31, 2023, 2:30:50 PM		EUR	14,602.49	12,271	2,331.49	New
500000002	Oct 24, 2023, 12:00:00 AM	Oct 31, 2023, 1:34:44 PM		EUR	5,631.08	4,732	899.08	New
500000003	Oct 24, 2023, 12:00:00 AM	Oct 31, 2023, 2:44:46 PM		EUR	1,704.04	1,431.97	272.07	New
500000004	Oct 24, 2023, 12:00:00 AM	Nov 3, 2023, 3:26:17 PM		EUR	770	700	70	New

1.3   ComboBox

다시 필터로 가보겠습니다. 사용자는 Grid에 출력된 New값을 직접 입력하여 데이터를 검색하려 할 것입니다. Grid에는 New로 나오는데 필터 값은 알아서 N으로 조회 하진 않을 것입니다.

Standard ⌄

Sales Order ID:	Lifecycle Status:	First Name:
⟲	New ⟲	⟲
	Enter a text with a maximum of 1 characters and spaces.	∧ ⟨

오류입니다.

물론 이미 구현된 Value Help기능을 사용하여 값을 찾아올 수도 있지만 Lifecycle Status와 같이 마스터 데이터가 적은 경우, 좀더 사용자 친화적인 시스템을 만들기 위해서 사용할 수 있는 방법이 있습니다. ComboBox입니다.

Value Help로 사용되는 CDS View에 Annotation을 추가하면 ComboBox로 출력할 수 있습니다. 그러기 위해서 lifecycle_status에 Value Help로 연결된 Standard CDS View SEPM_I_SlsOrdLifeCycleStatus를 복사하여

Zbr_I_SlsOrdLifeCycleStatus_VH를 생성합니다.

Package: *	ZBRD	Browse...
☐ Add to favorite packages		
Name: *	Zbr_I_SlsOrdLifeCycleStatus_VH	
Description: *	Sales Order Lifecycle Status Value Help|	
Original Language:	EN	
Referenced Object:		Browse...

CDS View SEPM_I_SlsOrdLifeCycleStatus는 ABAP CDS Entity(define view entity) 방식이 아닌 ABAP CDS View(define view)방식으로 생성된 CDS View입니다. Annotation의 사용이 좀 다르니 아래와 같이 수정합니다. 필요 없거나 사용할 수 없는 Annotation은 삭제하고, @ObjectModel.resultSet이란 Annotation은 추가했습니다.

```
@AbapCatalog.viewEnhancementCategory: [#NONE]

@AccessControl.authorizationCheck: #NOT_REQUIRED

@EndUserText.label: 'Sales Order Lifecycle Status Value Help'
```

```
@Analytics:{ dataCategory: #DIMENSION, dataExtraction.enabled:
true }

//@VDM.viewType: #BASIC

@AbapCatalog.sqlViewName: 'SEPM_ISOLCSTTS'

@ObjectModel.representativeKey: 'SalesOrderLifeCycleStatus'


@ObjectModel.usageType.serviceQuality:#C

@ObjectModel.usageType.sizeCategory:#S

@ObjectModel.usageType.dataClass: #MASTER


@ObjectModel.resultSet.sizeCategory: #XS


define view entity Zbr_I_SlsOrdLifeCycleStatus_VH

as select from dd07l

...
```

이제 lifecycle_status필드에 연결된 Value Help를 새로 생성한 CDS View로 변경합니다.

```
...
        @UI:{ lineItem: [ { position:90 } ],
            selectionField: [{ position:20 }] }
        @Consumption.valueHelpDefinition: [
            { entity: {
                    name: 'Zbr_I_SlsOrdLifeCycleStatus_VH',
                    element: 'SalesOrderLifeCycleStatus' }}]
        @UI.textArrangement: #TEXT_ONLY
```

```
          @ObjectModel.text.element: ['lifecycle_statusT']

       lifecycle_status,

   ...
```

결과를 확인해 보면 필터 조건이 ComboBox로 변경된 것을 확인할 수 있습니다.

1.4 Criticality

출력되는 값에 색을 표시하면 가독성이 높아집니다. @UI.lineItem에 criticality속성 값을 지정하면 해당 출력 필드에 색을 표시할 수 있습니다.

Criticality로 지정할 수 있는 값은 0, 1, 2, 3인데요, 0은 Gray, 1은 Red, 2는 Yellow(Orange), 3은 Green으로 표시됩니다. 이때 0~3값을 하드코딩 하는 것이 아니라 다른 필드 값을 참조하는 방식으로 동작합니다.

Interface View에 status_color란 새로운 필드를 생성해 보겠습니다.

```
...
       @ObjectModel.text.association: 'lifecycleT'

       lifecycle_status,

       case lifecycle_status

         when 'C' then 0

         when 'X' then 1
```

```
        when 'N' then 2
        when 'P' then 3
        else 1
    end                          as status_color,
...
```

lifecycle_status필드 값에 따라 0~3을 표시하도록 했습니다.

새로 추가된 status_color필드를 Projection View에도 추가하고, lifecycle_status필드의 @UI.lineItem Annotation에 criticality속성값으로 지정합니다.

그리고 status_color필드는 사용자에게 표시할 필드가 아니라 내부적으로만 사용할 필드 이므로 @UI.hidden Annotation을 추가해 사용자에게 표시되지 않도록 합니다.

```
...
    @UI:{ lineItem: [ { position:90,
                        criticality:'status_color' } ],
        selectionField: [{ position:20 }] }
    @Consumption.valueHelpDefinition: [
      { entity: {
                  name: 'Zbr_I_SlsOrdLifeCycleStatus_VH',
                  element: 'SalesOrderLifeCycleStatus' }}]
    @UI.textArrangement: #TEXT_ONLY
    @ObjectModel.text.element: ['lifecycle_statusT']
    lifecycle_status,
    @UI.hidden: true
    status_color,
...
```

결과를 확인해 보면 lifecycle_status값에 따라 status_color값이 결정되고, status_color값에 따라 lifecycle_status필드에 색이 표시됩니다.

1.5 Progress Bar

Progress Bar를 이용하여 좀더 명확한 상태를 표시할 수도 있습니다. 새로운 필드인 status_progress와 complete_progress를 Interface View에 추가하겠습니다.

```
...
            end                             as status_color,
        case lifecycle_status
            when 'N' then 0
            when 'P' then
                case billing_status
                    when 'P' then
                        case delivery_status
                            when 'D' then 70
                            else 50
                        end
                    else 30
                end
            when 'C' then 100
            when 'X' then 0
            end                             as status_progress,
```

```
      100                              as complete_progress,
    billing_status,
    ...
```

새로 추가한 status_progress필드는 lifecycle_status, billing_status, delivery_status값에 따라 0~100의 값을 가지게 되고 이 값을 complete_progress필드값과 비표하여 Progress Bar를 구성하게 됩니다.

Projection View에도 status_progress와 complete_progress필드를 추가합니다. 그리고 status_progress필드에는 Progress Bar출력을 위한 Annotation도 추가합니다.

```
...
        @UI.hidden: true
      status_color,
      @UI.lineItem: [{ position: 85, type: #AS_DATAPOINT }]
      @UI.dataPoint: { visualization: #PROGRESS ,
                       targetValueElement: 'complete_progress',
                       criticality: 'status_color' }
      @EndUserText.label: 'Status Progress'
      status_progress,
      @UI.hidden: true
      complete_progress,
...
```

lifecycle_status필드와 마찬가지로 status_progress필드에 status_color를 criticality로 지정했습니다. 그리고 complete_progress필드를 targetValueElement로 지정하여 complete_progress값을 기준으로 visualization이 #PROGRESS로 출력되도록 하였습니다.

1.6 Aggregation

출력되는 데이터에 합계를 표시할 필요가 있을 수 있습니다. 혹은 평균값이나 최대, 최소값을 표시해야 하는 경우가 있을 수도 있습니다.

@DefaultAggregation이란 Annotation을 숫자, 금액 필드에 추가하면 간단 하게 Aggregation을 구현할 수 있습니다.

```
...
          @UI.lineItem:[{position: 60}]
          @DefaultAggregation: #SUM
          gross_amount,
          @UI.lineItem:[{position: 70}]
          @DefaultAggregation: #SUM
          net_amount,
          @UI.lineItem:[{position: 80}]
          @DefaultAggregation: #SUM
          tax_amount,
...
```

하지만 현재 까지는 List Report가 OData V4에 대해서 Aggregation기능을 지원하지 않습니다. OData V2로 확인해 보면 아래와 같이 합계가 출력되는 것을 확인할 수 있습니다.

160

1.7 Multiple Views

List Report하위 Grid를 여러 개 출력할 수도 있습니다. Multiple Views를 구현하기 위해서는 CDS View에 Annotation뿐만 아니라 Fiori App에도 추가해야 하는 부분이 있기 때문에 우선 Fiori App부터 생성해야 합니다.

이 책의 초반에 Read-Only 시나리오를 설명하면서 VSCode에서 List Report형태의 Fiori App zbr_f_sales를 생성했었습니다. 지금까지의 과정은 Fiori App을 생성해서 Test하든, Service Binding의 Preview기능을 사용해서 Test하든 상관이 없었습니다. 그러나 지금부터 이후 과정에서는 Fiori App을 통해 실습을 해야만 합니다. 그래야 List Report외의 Fiori Element들도 학습할 수 있기 때문입니다.

Read-Only 시나리오의 내용을 참고해서 VSCode에 새로운 List Report zbr_f_sales_cp를 생성합니다. OData는 V4를 사용하겠습니다.

이제 이 List Report를 사용해서 Multiple Views기능을 구현해 보겠습니다.

Multiple Views에는 3가지 모드가 있습니다. 하나의 Entity Set(CDS View)에 필터를 적용해 동일한 Layout의 Table을 Multi로 출력하는 Single Table Mode와 각기 다른 Layout으로 출력하는 Multiple Table Mode, 마지막으로 여러 Entity Set의 데이터를 출력하는 Multiple Entity Mode입니다.

1.7.1 Single Table Mode

우선 가장 단순한 형태의 Single Table Mode를 구현해 보겠습니다. CDS View에 @UI.selectionVariant Annotation을 추가합니다. selectionVariant Annotation은

CDS View 전체에 영향을 미치는 Annotation이므로, define view entity구문 상단에 추가합니다.

```
...
@UI.selectionVariant: [{ qualifier: 'qfLifecycleStatusN',
                         text: 'New',
                         filter: 'lifecycle_status EQ "N"'},
                       { qualifier: 'qfLifecycleStatusP',
                         text: 'In Progress',
                         filter: 'lifecycle_status EQ "P"'},
                       { qualifier: 'qfLifecycleStatusC',
                         text: 'Closed',
                         filter: 'lifecycle_status EQ "C"'},
                       { qualifier: 'qfLifecycleStatusX',
                         text: 'Cancel',
                         filter: 'lifecycle_status EQ "X"'}
]
define root view entity Zbr_P_SalesOrder_CP
...
```

selectionVariant하위에 Text와 filter를 지정한 qualifier를 4개 생성했습니다.

이제 새로 생성한 Fiori App의 manifest.json파일로 이동해 보겠습니다. manifest.json파일은 Fiori App의 설정을 관리하는 파일입니다.

targets란 property하위에 controlConfiguration 노드를 추가합니다.

```
"targets": {
  "OrdersList": {
    "type": "Component",
    "id": "OrdersList",
    "name": "sap.fe.templates.ListReport",
    "options": {
      "settings": {
        "entitySet": "Orders",
        "variantManagement": "Page",
        "controlConfiguration": {
          "@com.sap.vocabularies.UI.v1.LineItem": {
            "tableSettings": {
              "type": "GridTable",
              "quickVariantSelection": {
```

```
                    "paths": [
                      {
                        "annotationPath":
"com.sap.vocabularies.UI.v1.SelectionVariant#qfLifecycleStat
usN"
                      },
                      {
                        "annotationPath":
"com.sap.vocabularies.UI.v1.SelectionVariant#qfLifecycleStat
usP"
                      },
                      {
                        "annotationPath":
"com.sap.vocabularies.UI.v1.SelectionVariant#qfLifecycleStat
usC"
                      },
                      {
                        "annotationPath":
"com.sap.vocabularies.UI.v1.SelectionVariant#qfLifecycleStat
usX"
                      }
                    ],
                    "hideTableTitle": false,
                    "showCounts": true
                  }
                }
              }
            },
          "navigation": {
            "Orders": {
...
```

**OData V4를 기반으로 생성된 Fiori Element와 V2를 기반으로 생성된 Fiori Element는 manifest.json구성이 다소 차이가 있습니다. 이 책은 V4를 기준으로 설명합니다.

quickVariantSelection노드 하위로 CDS View에서 추가한 Annotation들의 Path를

지정했습니다. annotationPath의 #뒤에 지정된 qualifier로 CDS View의 selectionVariant Annotation을 찾아갑니다.

결과를 확인해 보면 Grid상단에 ComboBox가 생기면서 값을 변경할 때마다 필터가 적용된 List가 출력되는 것을 확인할 수 있습니다.

1) selectionVariant가 3개 이하면 Tab형식과 비슷한 Segmented Button으로 표시되고 4개부터는 ComboBox형식의 Menu Button으로 표시됩니다.

2) tableSettings에 type 값으로 GridTable을 지정하면 Table형태가 Responsive Table이 아닌 Grid Table로 출력됩니다.

3) hideTableTile과 showCounts 값으로 Tile을 숨기거나 건수표시를 제한할 수 있습니다.

1.7.2 Multiple Table Mode

Single Table Mode에서는 출력되는 Table에 필터를 적용해서 여러개로 출력할 수 있었지만, 각 Table의 Layout은 모두 동일했습니다. Multiple Table Mode에서는 필터뿐만 아니라 정렬순서, 출력할 필드등도 설정이 가능합니다. selectionVariant 상위 Annotation인 selectionPresentationVariant를 사용하면 됩니다.

selectionPresentationVariant는 selectionVariant와 prsentationVariant란 Annotation을 묶어주는 역할을 하는 Annotation입니다. SAPUI5 Demo Kit(https://sapui5.hana.ondemand.com)에서 설명하는 계층관계는 아래와 같습니다.

164

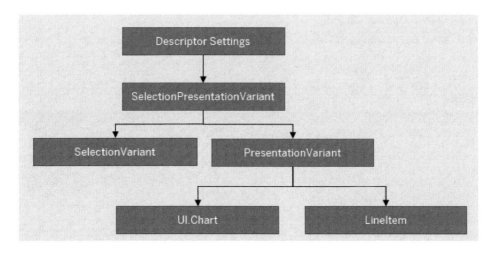

이제 이 계층관계대로 CDS View에 Annotation을 적용해 보겠습니다.

우선 CDS View의 Annotation을 아래와 같이 변경합니다.

```
@UI.selectionPresentationVariant: [{
  text: 'New',
  selectionVariantQualifier: 'qfLifecycleStatusN',
  presentationVariantQualifier: 'qfDefault',
  qualifier: 'qfLifecycleStatusN_PV'
},
{
  text: 'In Progress',
  selectionVariantQualifier: 'qfLifecycleStatusP',
  presentationVariantQualifier: 'qfDefault',
  qualifier: 'qfLifecycleStatusP_PV'
},
{
  text: 'Closed',
  selectionVariantQualifier: 'qfLifecycleStatusC',
  presentationVariantQualifier: 'qfDefault',
  qualifier: 'qfLifecycleStatusC_PV'
},
{

  text: 'Cancel',
  selectionVariantQualifier: 'qfLifecycleStatusX',
  presentationVariantQualifier: 'qfDefault',
  qualifier: 'qfLifecycleStatusX_PV'
}]
```

```
@UI.presentationVariant: [
  {
    qualifier: 'qfDefault',
    sortOrder: [{by: 'sales_order_key', direction: #DESC }]
}]

@UI.selectionVariant: [{ qualifier: 'qfLifecycleStatusN',
                         text: 'New',
                         filter: 'lifecycle_status EQ "N"'},
                       { qualifier: 'qfLifecycleStatusP',
                         text: 'In Progress',
                         filter: 'lifecycle_status EQ "P"'},
                       { qualifier: 'qfLifecycleStatusC',
                         text: 'Closed',
                         filter: 'lifecycle_status EQ "C"'},
                       { qualifier: 'qfLifecycleStatusX',
                         text: 'Cancel',
                         filter: 'lifecycle_status EQ "X"'}
]
define root view entity Zbr_P_SalesOrder_CP
...
```

1) selectionVariant는 그대로 두고 presentationVariant와 이를 묶어주는 selectionPresentationVariant를 추가했습니다.

2) presentationVariant에는 Layout을 어떻게 보여줄지를 정의하는데, 우선은 모두 동일하게 적용되도록 했습니다.

3) selectionPresentationVariant에 prisentationVariant와 selectionVariant를 연결했습니다.

manifest.json도 아래와 같이 수정합니다.

```
"targets": {
  "OrdersList": {
    "type": "Component",
    "id": "OrdersList",
    "name": "sap.fe.templates.ListReport",
    "options": {
      "settings": {
```

```
        "entitySet": "Orders",
        "variantManagement": "Page",
        "views": {
          "paths": [
            {
              "key": "tab1",
              "annotationPath":
"com.sap.vocabularies.UI.v1.SelectionPresentationVariant#qfL
ifecycleStatusN_PV"
            },
            {
              "key": "tab2",
              "annotationPath":
"com.sap.vocabularies.UI.v1.SelectionPresentationVariant#qfL
ifecycleStatusP_PV"
            },
            {
              "key": "tab3",
              "annotationPath":
"com.sap.vocabularies.UI.v1.SelectionPresentationVariant#qfL
ifecycleStatusC_PV"
            },
            {
              "key": "tab4",
              "annotationPath":
"com.sap.vocabularies.UI.v1.SelectionPresentationVariant#qfL
ifecycleStatusX_PV"
            }
          ],
          "showCounts": true
        },
        "navigation": {
...
```

1) Single Table Mode에서 사용했던 controlConfiguration노드전체를 삭제하고, views라는 노드를 추가했습니다.

annotationPath에 selectionVariant대신 selectionPresentationVariant를 지정했

습니다(_PV). 이제 결과를 확인해 보겠습니다.

Standard ⌄

Sales Order ID:

First Name:

| New (6) | In Progress (4) | Closed (5) | Cancel (4) |

Sales Orders

Sales Order ID	Created At	Changed At	Opportunity ID	Currency C...	Gross Amount	Net Amount	Tax Amount	Status Pro...
500000018	Oct 24, 2023, 12:00:00 AM	Oct 24, 2023, 12:00:00 AM		EUR	871.55	732.4	139.15	0 of 100 ⚠
500000017	Oct 24, 2023, 12:00:00 AM	Oct 24, 2023, 12:00:00 AM		EUR	178.14	149.7	28.44	0 of 100 ⚠
500000014	Oct 24, 2023, 12:00:00 AM	Oct 24, 2023, 12:00:00 AM		EUR	3,459.33	2,907	552.33	0 of 100 ⚠

Grid상단에 있던 Table선택 버튼이 상위로 올라가면서 Tab형태로 출력되는 것을 확인할 수 있습니다. 현재는 presentationVariant를 모두 공유하고 있기 때문에 모든 Table이 동일한 Layout으로 출력되고 있습니다. CDS View에 presentationVariant를 추가해 보겠습니다.

```
@UI.selectionPresentationVariant: [{
  text: 'New',
  selectionVariantQualifier: 'qfLifecycleStatusN',
  presentationVariantQualifier: 'qfStatusN',
  qualifier: 'qfLifecycleStatusN_PV'
},
{
  text: 'In Progress',
  selectionVariantQualifier: 'qfLifecycleStatusP',
  presentationVariantQualifier: 'qfStatusP',
  qualifier: 'qfLifecycleStatusP_PV'
},
{
  text: 'Closed',
  selectionVariantQualifier: 'qfLifecycleStatusC',
  presentationVariantQualifier: 'qfStatusC',
  qualifier: 'qfLifecycleStatusC_PV'
},
{
  text: 'Cancel',
  selectionVariantQualifier: 'qfLifecycleStatusX',
  presentationVariantQualifier: 'qfStatusX',
  qualifier: 'qfLifecycleStatusX_PV'
}]
```

```
@UI.presentationVariant: [
  {
    qualifier: 'qfStatusN',
    sortOrder: [{by: 'sales_order_id', direction: #ASC }]
  },
  {
    qualifier: 'qfStatusP',
    sortOrder: [{by: 'gross_amount', direction: #DESC },
                {by: 'sales_order_id', direction: #ASC }]
  },
  {
    qualifier: 'qfStatusC',
    sortOrder: [{by: 'sales_order_id', direction: #ASC }]
  },
  {
    qualifier: 'qfStatusX',
    sortOrder: [{by: 'sales_order_id', direction: #ASC }]
  }
]
...
```

각 단계에 적용할 sortOrder를 지정한 여러 개의 presentationVariant를 추가했습니다. 그리고 selectionPresentationVariant에 새로 생성한 presentationVariant를 연결했습니다. 다시 결과를 확인해 보면, In Process만 다를 정렬기준으로 출력되는 것을 확인할 수 있습니다.

| New (6) | In Progress (4) | Closed (5) | Cancel (4) | | | |

Sales Orders

Sales O... ↑≞	Created At	Changed At	Opportunity ID	Currency C...	Gross Amount ↓≞
500000003	Oct 24, 2023, 12:00:00 AM	Oct 31, 2023, 2:44:46 PM		EUR	1,704.04
500000019	Oct 24, 2023, 12:00:00 AM	Oct 24, 2023, 12:00:00 AM		EUR	1,444.64
500000004	Oct 24, 2023, 12:00:00 AM	Nov 3, 2023, 3:26:17 PM		EUR	770
500000005	Oct 24, 2023, 12:00:00 AM	Nov 3, 2023, 3:27:15 PM		EUR	88

presentationVariant에 visualizations를 속성값을 추가로 지정하면 출력할 필드도 다르게 지정할 수 있습니다. In Progress만 다르게 출력해 보겠습니다.

```
...
  @UI.presentationVariant: [
    ...
    {
```

```
    qualifier: 'qfStatusP',
    sortOrder: [{by: 'gross_amount', direction: #DESC },
                {by: 'sales_order_id', direction: #ASC }],
    visualizations: [{type: #AS_LINEITEM,
                      qualifier: 'qfProgressList'}]
  },
…
```

출력할 필드들은 @UI.lineItem을 새로 지정하여 연결할 수 있습니다.

```
…
  key     sales_order_key,
          @UI:{ lineItem: [ { position:10 },
                            { position: 10,
                              qualifier: 'qfProgressList' } ],
                selectionField: [{ position:10 }] }
          sales_order_id,
          created_by_key,
          changed_by_key,
          @UI.lineItem:[{position: 20},
                        { position: 20,
                          qualifier: 'qfProgressList' }]
          created_at,
…
```

결과를 확인해 보면 In Progress만 출력되는 필드가 달라지는걸 확인할 수 있습니다.

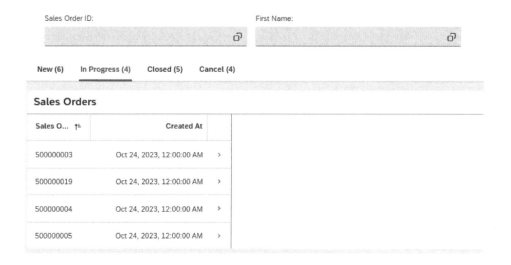

1.7.3 Multiple Entity Set

지금까지는 동일한 CDS View에 대한 Multiple Views를 살펴봤습니다. manifest.json의 path에 Entity Set을 명시적으로 지정하면 동일한 OData Service 에 묶인 서로 다른 Entity Set으로 Table을 구성할 수 있습니다.

우리는 이미 Zbr_P_SalesOrderItem_CP라는 CDS View를 Compositon으로 연결 했고, Service Definition에 Expose도 했습니다. 그래서 Service Binding에는 Items 라는 Entity Set으로 존재합니다.

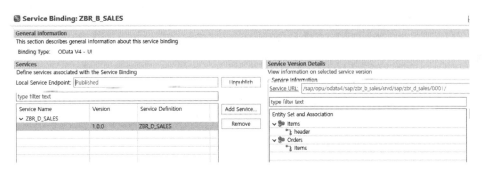

이미 구현된 Entity Set을 활용해 보도록 하겠습니다. Manifest.json의 views노드 값을 아래와 같이 변경합니다.

```
...
  "settings": {
    "entitySet": "Orders",
    "variantManagement": "Page",
    "views": {
      "paths": [
        {
          "key": "tab1",
          "annotationPath":
"com.sap.vocabularies.UI.v1.SelectionVariant#qfSalesOrder"
        },
        {
          "key": "tab2",
          "entitySet": "Items",
```

```
        "annotationPath":
"com.sap.vocabularies.UI.v1.SelectionVariant#qfSalesItem"
        }
      ]
    },
    "navigation": {
...
```

두번째 path에 entitySet값을 Items로 지정했습니다. Service Definition에서 Expose한 CDS View의 Alias명 입니다.

이제 Zbr_P_SalesOrder_CP의 Annotation selectionPresentationVariant와 presentationVariant, selecitonVariant를 삭제하고 selectionVariant한 줄만 다음 과 같이 작성하겠습니다.

```
...
@UI.selectionVariant: [{ text:'Sales Order',
                         qualifier:'qfSalesOrder' }]
define root view entity Zbr_P_SalesOrder_CP
...
```

그리고 Zbr_P_SalesOrderItem_CP에도 selectionVariant를 추가합니다.

```
...
@UI.selectionVariant: [{ text:'Sales Order Item',
                         qualifier:'qfSalesItem' }]
define view entity Zbr_P_SalesOrderItem_CP
...
```

이제 결과를 확인해 보면 Mutiple Table Mode와 동일한 형태로, 서로다른 Entity Set의 Table이 출력됩니다.

Sales Order ID	Created At	Changed At	Opportunity ID	Currency C...	Gross Amount	Net Amount
500000001	Oct 24, 2023, 12:00:00 AM	Oct 31, 2023, 2:30:50 PM		EUR	14,602.49	12,271
500000002	Oct 24, 2023, 12:00:00 AM	Oct 31, 2023, 1:34:44 PM		EUR	5,631.08	4,732
500000003	Oct 24, 2023, 12:00:00 AM	Oct 31, 2023, 2:44:46 PM		EUR	1,704.04	1,431.97

Sales Order (19) Sales Order Item (122)

Sales Orders (19)

Zbr_P_SalesOrderItems_CP에는 @UI.lineItem Annotation을 각자 추가해서 결과

를 확인해 보시기 바랍니다.

또한, Multiple Entity Set에 Single Table Mode를 합쳐서 아래와 같이 화면을 구성할 수도 있습니다. 복습을 위한 연습 문제로, 이것도 한번 각자 구현해 보시기 바랍니다.

Sales Order (19)	Sales Order Item (122)						

Sales Orders New (6) ⌄

Sales Orde...		eated At	Changed At	Opportunity ID	Currency ...	Gross Amount	Net Amount
500000001		0:00 AM	Oct 31, 2023, 2:30:50 PM		EUR	14,602.49	12,271
500000007		0:00 AM	Oct 24, 2023, 12:00:00 AM		EUR	10,311.35	8,665
500000012	Oct 24, 2023, 12:00:00 AM		Oct 24, 2023, 12:00:00 AM		EUR	24,704.4	20,760
500000014	Oct 24, 2023, 12:00:00 AM		Oct 24, 2023, 12:00:00 AM		EUR	3,459.33	2,907
500000017	Oct 24, 2023, 12:00:00 AM		Oct 24, 2023, 12:00:00 AM		EUR	178.14	149.7

(dropdown: New (6) / In Progress (4) / Closed (5) / Cancel (4))

2 Object Page

리스트에 출력된 라인 아이템을 클릭하면 해당 Instance의 상세 화면으로 이동합니다. Object Page라고 합니다. Object Page도 하나의 Fiori Element이지만 보통 List Report에 연결되어 사용되기 때문에 List Report안에 포함되어져 있습니다. 현재는 Object Page와 관련된 아무런 Annotation이 없기 때문에 빈 화면이 출력됩니다.

2.1 Object Page Header

빈 화면에 타이틀을 추가해 보겠습니다. 상단에 @UI.headerInfo에 typeName, title, description이란 property값을 지정합니다.

```
@UI:{ headerInfo: {
    typeNamePlural: 'Sales Orders', //List 헤더 타이틀
    typeName: 'Sales Order', //App 타이틀
```

```
     title:{ value: 'sales_order_id' }, //Object page 타이틀

   description:{ value: 'first_name' }}//Object page 서브타이틀

}

define root view entity Zbr_P_SalesOrder_CP

…
```

typeNamePlural과 typeName은 하드코딩된 Text를 입력했고, title과 description
은 Instance의 필드를 지정했습니다.

Object Page에는 크게 Object Page Header라 불리는 Header영역과 Object Page
Section이라 불리는 Body영역이 있습니다. 우선 Header영역에 데이터를 출력해
보겠습니다.

```
…

define root view entity Zbr_P_SalesOrder_CP

  as projection on Zbr_I_SalesOrder_CP

{

        @UI.facet: [{ id: 'idHeaderDateTime',

                    purpose: #HEADER,

                    type: #FIELDGROUP_REFERENCE,

                    targetQualifier: 'qfCreateDateTime',

                    label: 'Create Information' }

        ]

  key    sales_order_key,

…

        @UI.lineItem:[{position: 20}]

        @UI.fieldGroup: [{ qualifier: 'qfCreateDateTime',

                          position: 20 }]
```

174

```
        created_at,

        @UI.lineItem:[{position: 30}]

        changed_at,

        @UI.fieldGroup: [{ qualifier: 'qfCreateDateTime',

                            position: 10 }]

        created_by_id,


...
```

define root view 구문과 sales_order_key필드 선언 사이에 @UI.facet이란 Annotation을 추가하였고, created_at과 created_by_id 필드 상단에 @UI.fieldGroup이란 Annotation을 추가하였습니다.

facet으로 purpose가 #HEADER인 영역을 만들면 Object Page Header에 위치 지정이 됩니다. 이 위치에 출력하는 값은 type:#FIELDGROUP_REFERENCE로 지정하였기 때문에, 이후 targetQualifier로 지정한 값을 qualifer로 가지는 fieldGroup들이 position순서대로 출력되게 됩니다.

즉, created_by_id와 created_at필드를 순서대로 Object Page Header에 출력하는 것입니다.

500000001
EPM

Create Information
Employee ID: 400000038
Created At: Oct 24, 2023, 12:00:00 AM

한번 해 봤으니 동일한 방법으로 또 다른 fieldGroup을 Object Page Header에 추가해 보겠습니다.

```
   ...
```

```
        @UI.facet: [{ id: 'idHeaderDateTime',

                    purpose: #HEADER,

                    type: #FIELDGROUP_REFERENCE,

                    targetQualifier: 'qfCreateDateTime',

                    label: 'Create Information' },

                { id: 'idHeaderDateTime2',

                    purpose: #HEADER,

                    type: #FIELDGROUP_REFERENCE,

                    targetQualifier: 'qfChangeDateTime',

                    label: 'Change Information' }

        ]

key     sales_order_key,

        @UI:{ lineItem: [ { position:10 } ],

            selectionField: [{ position:10 }] }

        sales_order_id,

        created_by_key,

        changed_by_key,

        @UI.lineItem:[{position: 20}]

        @UI.fieldGroup: [{ qualifier: 'qfCreateDateTime',

                            position: 20 }]

        created_at,

        @UI.lineItem:[{position: 30}]

        @UI.fieldGroup: [{ qualifier: 'qfChangeDateTime',

                            position: 20 }]

        changed_at,

        @UI.fieldGroup: [{ qualifier: 'qfCreateDateTime',
```

```
                         position: 10 }]
        created_by_id,
        @UI.fieldGroup: [{ qualifier: 'qfChangeDateTime',
                          position: 10 }]
        changed_by_id,
...
```

새로운 Header영역을 만들고 changed_at과 changed_by_id를 fieldGroup으로
추가했습니다.

500000001
EPM

Create Information   Change Information

Employee ID: 400000038   Employee ID: 400000038
Created At: Oct 24, 2023, 12:00:00 AM   Changed At: Oct 31, 2023, 2:30:50 PM

2.2   Object Page Section

이번엔 Body영역에도 데이터를 출력해 보겠습니다.

Body영역도 Header영역과 마찬가지로 @UI.facet Annotation을 사용하는데
purpose가 #HEADER가 아닌 #STANDARD입니다.

```
...
        @UI.facet: [{ id: 'idHeaderDateTime',
...
               { id: 'idSalesGroup',
                 purpose: #STANDARD,
                 type: #FIELDGROUP_REFERENCE,
                 label: 'Sales Info',
```

```
                    targetQualifier: 'qfSalesInfo' }
            ]
  key     sales_order_key,
          @UI:{ lineItem: [ { position:10 } ],
                 selectionField: [{ position:10 }] }
          @UI.fieldGroup: [{ qualifier: 'qfSalesInfo',
                             position: 10 }]
          sales_order_id,
  ...
```

결과를 확인해 보면 Body영역에 sales_order_id가 출력되는 것을 확인할 수 있습니다.

500000001
EPM

Create Information   **Change Information**

Employee ID: 400000038   Employee ID: 400000038
Created At: Oct 24, 2023, 12:00:00 AM   Changed At: Oct 31, 2023, 2:30:50 PM

Sales Info

Sales Order ID:
500000001

보통 중요한 데이터나 변하지 않는 값들은 Header에 위치시키고, 상세 데이터나 변경할 수 있는 필드들은 Body에 위치시킵니다.

facet의 purpose만 바꾸면 Header와 Body영역을 왔다 갔다 할 수 있고, 동일한 targetQualifier값을 여러 facet에 할당하여 Header와 Body에 동일한 fieldGroup을 출력할 수도 있습니다.

Body에 출력하던 Sales Info를 Header로 옮기고, Header에 출력하고 있는 Create Information과 Change Information을 Body에도 중복으로 출력하게 구성할 수

있겠습니다.

```
…
    @UI.facet: [{ id: 'idHeaderDateTime',
                purpose: #HEADER,
                type: #FIELDGROUP_REFERENCE,
                targetQualifier: 'qfCreateDateTime',
                label: 'Create Information' },
              { id: 'idHeaderDateTime2',
                purpose: #HEADER,
                type: #FIELDGROUP_REFERENCE,
                targetQualifier: 'qfChangeDateTime',
                label: 'Change Information' },
              { id: 'idSalesGroup',
                purpose: #HEADER,
                type: #FIELDGROUP_REFERENCE,
                label: 'Sales Info',
                targetQualifier: 'qfSalesInfo' },
              { id: 'idBodyDateTime',
                purpose: #STANDARD,
                type: #FIELDGROUP_REFERENCE,
                targetQualifier: 'qfCreateDateTime',
                label: 'Create Information' },
              { id: 'idBodyDateTime2',
                purpose: #STANDARD,
                type: #FIELDGROUP_REFERENCE,
                targetQualifier: 'qfChangeDateTime',
```

```
                         label: 'Change Information' },
                   { id: 'idAmountGroup',
                     purpose: #STANDARD,
                     type: #FIELDGROUP_REFERENCE,
                     label: 'Amount Info',
                     targetQualifier: 'qfAmountInfo' }
          ]
  key     sales_order_key,
...

        @UI.lineItem:[{position: 60}]
        @UI.fieldGroup: [{ qualifier: 'qfAmountInfo',
                           position: 10 }]
        gross_amount,
        @UI.lineItem:[{position: 70}]
        @UI.fieldGroup: [{ qualifier: 'qfAmountInfo',
                           position: 20 }]
        net_amount,
        @UI.lineItem:[{position: 80}]
        @UI.fieldGroup: [{ qualifier: 'qfAmountInfo',
                           position: 30 }]
        tax_amount,
...
```

조금 억지스러운 예시지만 결과는 아래와 같습니다.

500000001

EPM

Create Information	Change Information	Sales Info
Employee ID: 400000038	Employee ID: 400000038	Sales Order ID: 500000001
Created At: Oct 24, 2023, 12:00:00 AM	Changed At: Oct 31, 2023, 2:30:50 PM	

Create Information   Change Information   Amount Info

Employee ID: 400000038	Created At: Oct 24, 2023, 12:00:00 AM

Change Information

Employee ID: 400000038	Changed At: Oct 31, 2023, 2:30:50 PM

Amount Info

Gross Amount: 14,602.49	Net Amount: 12,271	Tax Amount: 2,331.49

Body영역의 너무 넓은 공간이 의미 없게 출력된다고 생각이 든다면, facet들을 다시한번 묶어서 출력할 수도 있습니다. type이 #COLLECTION인 facet을 추가하고 기존에 있던 facet들에 parentId를 지정하여 계층관계를 구성하면 됩니다.

```
...
        @UI.facet: [{ id: 'idHeaderDateTime',
                purpose: #HEADER,
                type: #FIELDGROUP_REFERENCE,
                targetQualifier: 'qfCreateDateTime',
                label: 'Create Information' },
             { id: 'idHeaderDateTime2',
                purpose: #HEADER,
                type: #FIELDGROUP_REFERENCE,
                targetQualifier: 'qfChangeDateTime',
                label: 'Change Information' },
            { id: 'idGeneralInfo',
               purpose: #STANDARD,
               type: #COLLECTION,
               label: 'General Info',
               position: 10 },
             { id: 'idSalesGroup',
               purpose: #HEADER,
               type: #FIELDGROUP_REFERENCE,
               label: 'Sales Info',
```

```
                          targetQualifier: 'qfSalesInfo'},
                  { id: 'idBodyDateTime',
                    purpose: #STANDARD,
                    type: #FIELDGROUP_REFERENCE,
                    targetQualifier: 'qfCreateDateTime',
                    label: 'Create Information',
                    parentId:'idGeneralInfo' },
                  { id: 'idBodyDateTime2',
                    purpose: #STANDARD,
                    type: #FIELDGROUP_REFERENCE,
                    targetQualifier: 'qfChangeDateTime',
                    label: 'Change Information',
                    parentId:'idGeneralInfo' },
                  { id: 'idAmountGroup',
                    purpose: #STANDARD,
                    type: #FIELDGROUP_REFERENCE,
                    label: 'Amount Info',
                    targetQualifier: 'qfAmountInfo',
                    parentId:'idGeneralInfo' }
            ]

...
```

결과는 다음과 같습니다.

2.3   Chart

Fiori App이 기존 ABAP 프로그램보다 강점으로 가지는 것 중 하나가 Chart기능
입니다. 기존 ABAP프로그램도 Chart를 출력할 수 있었지만, Fiori App은 더 다양
하고 화려한 Chart기능을 제공합니다.

2.3.1 Progress Bar

Progress Bar는 사실 Chart도 아니고 이미 List에 출력하고도 있지만, 약간의 Annotation만 추가하면 Object Page에도 표현할 수 있기 때문에 다루어 보고자 합니다.

우리가 개발하고 있는 List Report App에는 이미 Progress Bar가 출력되고 있고, 이는 status_progress라는 필드에 @UI.dataPoint Annotation을 사용했기 때문입니다.

```
96      @UI.lineItem: [{ position: 85, type: #AS_DATAPOINT }]
97      @UI.dataPoint: { visualization: #PROGRESS ,
98                      targetValueElement: 'complete_progress',
99                      criticality: 'status_color' }
100     @EndUserText.label: 'Status Progress'
101     status_progress,
102     @UI.hidden: true
103     complete_progress,
```

이 Progress Bar를 Object Page Header에 추가해 보겠습니다. @UI.facet Annotation에 아이템을 추가합니다.

```
...
define root view entity Zbr_P_SalesOrder_CP
  as projection on Zbr_I_SalesOrder_CP
{
        @UI.facet: [{ id: 'idHeaderProgress',
                    type: #DATAPOINT_REFERENCE,
                    purpose: #HEADER,
                    targetQualifier: 'status_progress'},
                { id: 'idHeaderDateTime',
...
```

이렇게만 하면 List에 출력되던 Progress Bar가 Object Page Header에도 출력됩니다. facet의 type을 #FIELDGROUP_REFERENCE가 아닌 #DATAPOINT_REFERENCE 로 하여 status_progress필드에 지정된 @UI.dataPoint Annotation을 바라보게 했습니다.

현재 status_progress필드에 @EndUserText.label로 'Status Progress'가 지정되어
져 있습니다.

@UI.datPoint를 List에서 출력할땐 상관없었지만, Object Page에 출력할 땐 따로
Title을 지정해야합니다. 현재는 Progress Bar의 Title이 지정되지 않았기 때문에
CDS View의 Title인 'Sales Order Composition Parent'를 출력하고 있습니다.
@UI.dataPoint에 title을 지정합니다.

```
...
        @UI.dataPoint: {
                visualization: #PROGRESS ,
                targetValueElement: 'complete_progress',
                criticality: 'status_color',
                title: 'Status' }
        @EndUserText.label: 'Status Progress'
        status_progress,
...
```

2.3.2 Micro Chart

Fiori App에서 제공하는 Chart중에는 작은 영역만 차지하는 Chart가 있습니다.
List에도 출력할 수 있고 Object Page의 특정 위치에도 출력할 수 있는 Micro
Chart입니다.

우선 가장 간단한 형태인 Donut Chart부터 구현해 보겠습니다. Chart로 표시할 데
이터를 지정하기 위해 새로운 필드인 status_chart를 Interface View에 추가하겠습

니다.

```
…
       100                          as complete_progress,
    case lifecycle_status
        when 'N' then 0
        when 'P' then 50
        when 'C' then 100
        when 'X' then 0
    end                            as status_chart,
    billing_status,
…
```

Projection View에도 필드를 추가하고, 기본적인 datapoint Annotation도 작성하겠습니다.

```
…
    @UI.hidden: true
     complete_progress,
    @UI.dataPoint: { criticality: 'status_color',
                     qualifier: 'qfStatusChart' }
    status_chart,
    lifecycleT.SalesOrderLifeCycleStatusName
    as lifecycle_statusT : localized,
…
```

Object Page Header에 출력되도록 facet에도 아이템을 추가합니다.

```
…
        @UI.facet: [{ id: 'idHeaderProgress',
                type: #DATAPOINT_REFERENCE,
                purpose: #HEADER,
                targetQualifier: 'status_progress'},
             { id: 'idHeaderChart',
               type: #DATAPOINT_REFERENCE,
               purpose: #HEADER,
               targetQualifier: 'qfStatusChart' },
           { id: 'idHeaderDateTime',
…
```

이렇게만 하면 status_chart가 단일값으로 Object Page Header에 출력되게 됩니다.

500000003

EPM

Status	Sales Order Composition Parent	Create Information
▬▬▬▬ 50 o...	50	Employee ID: 400000038
Status Progress		Created At: Oct 24, 2023, 12:00:00 AM

우리가 출력하고자 하는 것은 단일 값이 아닌 Chart이므로, facet에 type을 #CHART_REFERENCE로 변경합니다. 그런 다음 이제 어떤 Chart형태로 어떤 값들을 출력할지를 정의해야 합니다.

모든 Chart관련 Annotation은 필드 영역이 아닌 Global영역에 선언됩니다. Global영역은 define view entity구문 상단을 의미합니다.

Global영역에 @UI.chart를 추가합니다. 기존에 존재하는 @UI.headerInfo와 나란히 작성해도 되지만 배우는 단계인 만큼 가독성을 위해 따로 작성하겠습니다.

```
...
    description:{ value: 'first_name' }}//Object page 서브타이틀
}
@UI.chart: [{ qualifier: 'qfStatusChart',
          title: 'Status Chart',
          description: 'LifeCycle Status',
          chartType: #DONUT ,
          measures: ['status_chart'],
          measureAttributes: [{ measure: 'status_chart' ,
                                role: #AXIS_1,
                                asDataPoint: true }]
        }]
@UI.selectionVariant: [ { text:'Sales Order',
                          qualifier:'qfSalesOrder' },
...
```

마지막으로 Progress Bar와 동일하게 Donut Chart도 최대 값 지정이 반드시 필요하기 때문에 complete_progress 필드를 targetValueElement로 지정하고, qualifier는 삭제하겠습니다. facet에서 바라볼 qualifier는 @UI.chart으로 이동해 지정 했기 때문입니다.

186

```
...
    @UI.dataPoint: {
                targetValueElement: 'complete_progress',
                criticality: 'status_color' }
    status_chart,
...
```

이제 결과를 확인해 보면 Header영역에 Donut Chart가 표시되는 것을 확인할 수 있습니다.

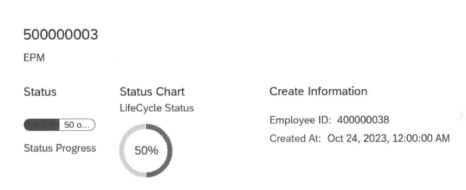

Progress Bar와는 조금 다르게 Criticality를 표시해 보겠습니다. 단순 값을 기반으로 Criticality를 표시하는 것이 아니라 값의 범위로도 Criticality를 지정할 수 있기 때문입니다.

```
@UI.dataPoint: { targetValueElement: 'complete_progress',
                criticalityCalculation:{
                        improvementDirection: #MAXIMIZE,
                        deviationRangeLowValue: 50.00,
                        toleranceRangeLowValue: 80.00}}
    status_chart,
```

critialityCalculation에 지정된 deviation과 tolerance Rage값에 따라 improvementDirection대로 색을 표현합니다.

사용가능한 improvementDirection은 아래와 같이 3가지입니다. status_chart에 적용한것이 #MAXIMIZE이므로 deviationRangeLowValue인 50보다 작으면 Red, toleranceRageLowValue와 사이값이면 Yellow(Orange), 그보다 크면 Green을 표시합니다.

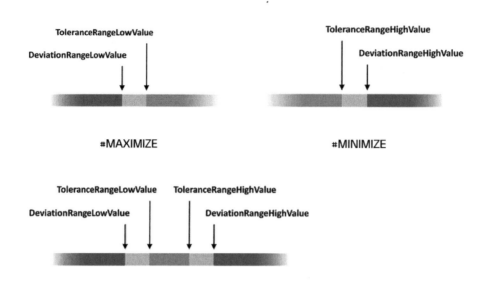

#MAXIMIZE   #MINIMIZE

#TARGET

아래 결과 화면에서는 status_chart값이 50이므로 Yellow입니다.

참고로 List에도 Micro Chart를 출력할 수 있는데, 단순히 lineItem Annotation에 type을 #AS_CHART로 지정하고 @UI.chart의 qulifier를 연결해주면 됩니다.

```
@UI:{ lineItem: [{ position: 86,
                   type: #AS_CHART,
                   label:'Status Chart',
                   valueQualifier: 'qfStatusChart'}] }
@UI.dataPoint: {
               targetValueElement: 'complete_progress',
               criticalityCalculation:{
                      improvementDirection: #MAXIMIZE,
```

```
                             deviationRangeLowValue: 50.00,
                             toleranceRangeLowValue: 80.00}}
         status_chart,
```

결과는 다음과 같습니다.

2.4 Line Item

Object Page에는 Composition으로 연결된 Line Item리스트를 출력할 수 있습니다. Sales Order에 연결된 Sales Order Item을 출력해 보겠습니다.

우선 CDS View Zbr_P_SalesOrderItem_CP에 @UI.lineItem Annotation을 추가해 리스트에 출력할 필드를 지정합니다.

```
...
define view entity Zbr_P_SalesOrderItem_CP
  as projection on Zbr_I_SalesOrderItem_CP
{
  key item_key,
      sales_order_key,
      @UI:{ lineItem: [ { position:10 } ] }
      item_position,
      product_key,
      @UI:{ lineItem: [ { position:20 } ] }
      product_id,
      note_key,
      sales_opportunity_item_pos,
      @UI:{ lineItem: [ { position:30 } ] }
      currency_code,
      @UI:{ lineItem: [ { position:40 } ] }
      gross_amount,
      @UI:{ lineItem: [ { position:50 } ] }
```

```
        net_amount,
        @UI:{ lineItem: [ { position:60 } ] }
        tax_amount,
        @UI:{ lineItem: [ { position:70 } ] }
        item_atp_status,
  ...
```

그 다음 Zbr_P_SalesOrder_CP CDS View의 @UI.facet Annotation에 아이템을 추가하면 됩니다.

```
  ...
                    { id: 'idItemInformation',
                      purpose: #STANDARD,
                      type: #COLLECTION,
                      label: 'Order Item',
                      position: 20 },
                    { id: 'idItemLine',
                      parentId: 'idItemInformation',
                      type: #LINEITEM_REFERENCE,
                      position: 10,
                      targetElement: 'items'}
            ]
   key    sales_order_key,
  ...
```

#LINEITEM_REFERENCE로 연결한 CDS View의 Association items를 targetElement로 지정하고 그 상위 계층으로 #COLLECTION을 purpose #STANDARD로 출력했습니다.

최종 결과 화면은 다음과 같습니다.

3 Overview Page

Overview Page는 Dashboard 형태로 구성되는 Fiori Element로 Card라고 하는 컨트롤을 통해 핵심 비즈니스 정보에 대한 직접적인 액세스를 제공합니다. 사용자는 다양한 유형의 Card들을 통해 빠른 의사결정과 즉각적인 조치를 위하여 연계 Application으로 이동할 수 있습니다.

Overview Page에서 사용가능한 Card는 총 6가지 정도의 유형이 있습니다.

데이터를 리스트로 보여주는 List Card, Grid형태로 출력하는 Table Card, 다른 Application으로의 이동에 초점이 맞춰져 있는 Linked List Card, 데이터를 좀 더 Visual하게 보여주기 위한 Bar List Card와 Analytical Card, 마지막으로 Object Page와 비슷한 형태의 데이터 상세 리스트를 보여주는 Stacked Card가 있습니다.

우선 Overview Page를 위한 OData를 먼저 구성하겠습니다.

새로운 Projection View Zbr_P_SalesOrder_OV를 아래와 같이 생성합니다.

```
@EndUserText.label: 'Sales Order Overview'
@AccessControl.authorizationCheck: #NOT_REQUIRED
```

```
define root view entity Zbr_P_SalesOrder_OV
  as projection on Zbr_I_SalesOrder
{
  key    sales_order_key,
         @UI:{ lineItem: [{ position: 10 }],
               selectionField: [{ position: 10 }]}
  key    sales_order_id,
         @UI:{ lineItem: [{ position: 20 }]}
         created_at,
         @UI:{ lineItem: [{ position: 30 }]}
         @EndUserText.label:'Customer'
         created_by_id
}
```

기존에 사용하던 Interface View를 그대로 사용하겠습니다. Interface View와 Projection View를 계층으로 나눈 장점입니다.

Service Definition에 새로 생성한 CDS View를 expose합니다.

```
define service Zbr_D_Sales {
  expose Zbr_P_SalesOrder_CP as Orders;
  expose Zbr_P_SalesOrderItem_CP as Items;
  expose Zbr_P_SalesOrder_OV as OrdersOverview;
}
```

VSCode에서도 Overview Page를 위한 새로운 Fiori App을 생성하겠습니다. 이전에 학습한 Application Generator로 Overview Page zbr_f_sales_ov를 생성합니다.

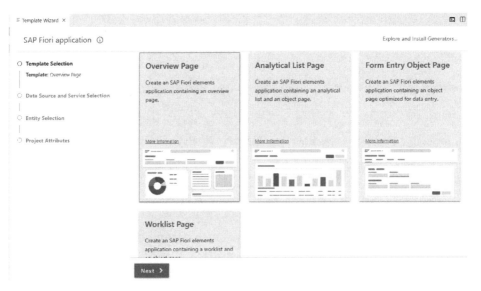

이때 Filter entity는 새로 생성한 OrderOverviewType을 선택합니다.

**만약 OData V4로 Overview Page가 정상 동작하지 않는 다면 V2로 진행해도 됩니다. Overview Page는 List Report와 달리 V2와 V4간의 차이가 크지 않습니다.*

Filter entity를 새로 생성한 OrderOverviewType으로 지정했기 때문에 해당 CDS View에 @UI.selectionField로 지정한 sales_order_id가 기본 필터로 출력됩니다.

이제 각 Card별로 어떻게 생성하고 사용해야 하는지 알아보겠습니다.

3.1 Standard List Card

List Card는 Standard List Card와 Linked List Card, Bar List Card등이 있습니다. 가장 기본이 되는 Standard List Card는 최대 6개 필드를 List형태로 출력할 수 있습니다.

Overview Page는 말그대로 비즈니스에 대한 전반적인 내용을 한눈에 보기 위해 만들어진 Fiori Element이기 때문에, 상세 데이터를 확인하고 싶거나 사용자 니즈에 맞는 출력 형태를 위해서는 Overview Page가 아닌 다른 Fiori Element를 사용하거나 Free Style로 Fiori App을 개발해야 합니다.

VSCode의 manifest.json파일로 가서 새로운 Card를 추가해 보겠습니다. sap.ovp.cards노드 하단에 아이템을 추가합니다.

```
"sap.ovp": {
  "globalFilterModel": "mainModel",
  "globalFilterEntityType": "OrdersOverviewType",
```

```
    "containerLayout": "resizable",
    "enableLiveFilter": true,
    "considerAnalyticalParameters": false,
    "cards": {
      "card01": {
        "model": "mainModel",
        "template": "sap.ovp.cards.list",
        "settings": {
          "title": "주문 정보",
          "description": "최근주문 현황",
          "entitySet": "OrdersOverview",
          "listType": "condensed",
          "listFlavor": "standard",
          "sortBy": "sales_order_id",
          "sortOrder": "descending"
        }
      }
    }
}
```

Model은 Overview Page를 자동으로 Generate할 때 지정된 mainModel로 지정하고, template은 List Card이므로 sap.ovp.cards.list로 합니다. 다른 종류의 Card를 출력하기 위해선 이 template만 변경하면 됩니다.

settings 하위에 해당 Card에 대한 설정 값을 입력합니다.

결과 화면을 확인해 보면 CDS View에 Annotation으로 추가한 필드들이 List Card에 출력되는 것을 확인할 수 있습니다.

List Card는 기본 5건의 데이터가 출력되며, 출력 순서에 따라 왼쪽 위, 아래, 오른쪽 아래에 필드가 표시됩니다. 특히 날자 필드의 경우 자동으로 4 weeks ago와 같이 변환되어 출력됩니다.

다시 한번 말씀드리지만, Overview Page는 해당 비즈니스에 대한 Overview한 데이터를 확인하는 App으로, 여기에 대량의 데이터를 출력하거나 Timestamp와 같이 길고 복잡한 데이터 형식을 출력하는 것은 바람직 하지 않습니다.

최대 6개 필드를 표시 할수 있다고 하였으니, 필드를 추가로 출력해 보겠습니다.

우선 CDS View에 Amount관련 필드를 3개 더 추가합니다.

```
define root view entity Zbr_P_SalesOrder_OV
  as projection on Zbr_I_SalesOrder
{
  key    sales_order_key,
         @UI:{ lineItem: [{ position: 10 }],
               selectionField: [{ position: 10 }]}
  key    sales_order_id,
         @UI:{ lineItem: [{ position: 20 }]}
         created_at,
         @UI:{ lineItem: [{ position: 30 }]}
         @EndUserText.label:'Customer'
         created_by_id,
         currency_code,
         @UI:{ lineItem: [{ position: 40 }]}
         gross_amount,
         @UI:{ lineItem: [{ position: 50 }]}
         net_amount,
         @UI:{ lineItem: [{ position: 60 }]}
         tax_amount
}
```

그리고 VSCode에서 Card setting값 중 listType값을 condensed에서 extended로 수정합니다.

```
    "cards": {
      "card01": {
        "model": "mainModel",
        "template": "sap.ovp.cards.list",
        "settings": {
```

```
        "title": "주문 정보",
        "description": "최근주문 현황",
        "entitySet": "OrdersOverview",
        "listType": "extended",
        "listFlavor": "standard",
        "sortBy": "sales_order_id",
        "sortOrder": "descending"
      }
    }
  }
```

결과를 확인해 보면 총 6개의 필드가 출력되는 것을 확인할 수 있습니다.

Card를 좌우로 늘려도 양쪽에 정렬된 필드들은 재 배열되지 않습니다. 또한 금액 필드는 1,000단위로 K라고 변환 표시되고, 기본 출력 데이터도 3건으로 조정되었습니다.

"Overview Page는 비즈니스 데이터를 Overview하게 확인하는 App이기 때문에 상세 데이터는 상세 데이터를 출력하는 App으로 이동하여 확인해야 합니다."

3.2   Table Card

Standard List Card는 출력하는 List Item의 두께가 두꺼워 출력할 수 있는 라인수 가 제한적일 수밖에 없고, 또 각 필드에 대한 Label이 없어서 각 필드값이 어떤 데이터인지를 명확히 할수 없습니다. 이런경우 Table Card를 고려해 볼 수 있습니다.

196

새로운 Projection CDS View Zbr_P_SalesOrder_OV2를 생성해 보겠습니다.

```
@EndUserText.label: 'Sales Order Overview'
@AccessControl.authorizationCheck: #NOT_REQUIRED
define root view entity Zbr_P_SalesOrder_OV2
  as projection on Zbr_I_SalesOrder
{
  key sales_order_key,
      @UI:{ lineItem: [{ position: 10 }]}
      @EndUserText.label:'Sales Order ID'
  key sales_order_id,
      @UI:{ lineItem: [{ position: 20 }]}
      @EndUserText.label: 'Create Date'
      created_at,
      @UI:{ lineItem: [{ position: 30 }]}
      @EndUserText.label:'Customer'
      created_by_id,
      currency_code,
      @EndUserText.label: 'Gross Amount'
      @UI:{ lineItem: [{ position: 40 }]}
      gross_amount,
      @EndUserText.label: 'Net Amount'
      @UI:{ lineItem: [{ position: 50 }]}
      net_amount,
      @EndUserText.label: 'Tax Amount'
      @UI:{ lineItem: [{ position: 60 }]}
      tax_amount,
      @UI:{ lineItem: [{ position: 70 }]}
      first_name,
      @UI:{ lineItem: [{ position: 80 }]}
      email_address,
      @UI:{ lineItem: [{ position: 90 }]}
      phone_number
}
```

Service Definition에 OrdersOverview2로 expose합니다.

```
define service Zbr_D_Sales {
  expose Zbr_P_SalesOrder_CP as Orders;
  expose Zbr_P_SalesOrderItem_CP as Items;
  expose Zbr_P_SalesOrder_OV as OrdersOverview;
  expose Zbr_P_SalesOrder_OV2 as OrdersOverview2;
}
```

VSCode로 가서 manifest.json에 새로운 Card를 추가합니다.

```
    "card02": {
```

```
      "model": "mainModel",
      "template": "sap.ovp.cards.table",
      "settings": {
        "title": "주문현황",
        "entitySet": "OrdersOverview2",
        "defaultSpan": {
          "cols": 2,
          "rows": 5
        }
      }
    }
```

결과를 확인해 보면 새로운 Table Card가 추가된 것을 확인해 볼 수 있습니다.

주문현황			7 of 19
Sales Order ID	**Create Date**	**Customer**	**Gross Amount**
500000001	4 weeks ago	400000038	15K EUR
500000002	4 weeks ago	400000038	6K EUR
500000003	4 weeks ago	400000038	2K EUR
500000004	4 weeks ago	400000038	770 EUR
500000005	4 weeks ago	400000038	88 EUR
500000006	4 weeks ago	400000038	251 EUR
500000007	4 weeks ago	400000038	10K EUR

하지만 Table Card도 최대 출력 가능한 필드는 6개이고, 데이터를 Overview하게
표시하는 건 마찬가지입니다.

3.3   Linked List Card

Overview Page에서 연관된 내부 시스템이나 외부 시스템으로 이동을 하기 위해
서 Linked List Card를 사용할 수 있습니다. List Card는 출력하는 Line Item을
OData에서 가져오는 것뿐만 아니라 하드코딩으로도 구현할 수 있습니다. Linked
List Card는 UI에서 직접 Line Item을 추가해 보겠습니다.

```
      "card03": {
```

```
        "template": "sap.ovp.cards.linklist",
        "settings": {
          "title": "링크",
          "listFlavor": "standard",
          "staticContent": [
            {
              "title": "주문생성",
              "imageUri": "sap-icon://add-document",
              "semanticObject": "Action",
              "action": "tortademo"
            },
            {
              "title": "제품정보",
              "imageUri": "sap-icon://product",
              "semanticObject": "Action",
              "action": "tortademo"
            },
            {
              "title": "네이버",
              "imageUri": "sap-icon://chain-link",
              "targetUri": "https://www.naver.com",
              "openInNewWindow": true
            }
          ]
        }
      }
```

결과를 확인해 보면 3개 Line Item이 출력되고 클릭하면 해당 링크로 이동하는 것을 확인해 볼 수 있습니다.

Linked List Card에서 한가지 추가 설명을 해야 할 점이 있습니다. Linked List Card는 자체적으로 Validation 체크를 한다는 것입니다. 외부 링크의 경우는 Validation 체크 없이 Line Item을 출력하지만, semanticObject와 action으로 연결하는 내부 링크의 경우는 실제 존재하는 semanticObject와 action이고, 자신에게 Fiori Launchpad를 통해 권한이 있는 App인 경우에만 Line Item을 출력합니다. semantic Object와 action을 임으로 변경해서 해당 Line Item이 출력이되는지 테스트해 보시기 바랍니다.

**예시의 주문생성이나 제품정보 App은 Fiori Launchpad를 테스트로 실행했을 때 기본으로 제공되는 Sample App입니다.

3.4   Bar List Card

List Card에 값을 좀더 Visual하게 보여줄 필요가 있을때는 Bar List Card사용을 고려해 볼 수 있습니다. Bar List Card는 List Card의 변형된 유형으로 최대 5개 필드만 출력이 가능하고, 3번째로 출력하는 필드가 Bar형태로 출력됩니다.

@UI.lineItem.posion값에 따라 출력 위치가 지정되고, 3,4,5번째 필드는 반드시 숫자 필드여야 한다는 제약이 있습니다.

새로운 CDS View Zbr_P_SalesOrder_OV3을 생성합니다.

```
define root view entity Zbr_P_SalesOrder_OV3
  as projection on Zbr_I_SalesOrder
{
  key sales_order_key,
      @UI:{ lineItem: [{ position: 10 }]}
  key sales_order_id,
      created_by_key,
      @UI:{ lineItem: [{ position: 20 }]}
      first_name,
      currency_code,
      @UI:{ lineItem:[{ position: 30,
                        type:#AS_DATAPOINT }],
            dataPoint: { criticalityCalculation:{
                           improvementDirection: #MAXIMIZE,
```

```
                          deviationRangeLowValue: 3000,
                          toleranceRangeLowValue: 9000 },
                      valueFormat:{
                          numberOfFractionalDigits:1} }}
    gross_amount,
    @UI:{ lineItem:[{ position: 40,
                      type:#AS_DATAPOINT }],
        dataPoint: { criticalityCalculation:{
                          improvementDirection: #MAXIMIZE ,
                          deviationRangeLowValue: 3000,
                          toleranceRangeLowValue: 9000 },
                      valueFormat:{
                          numberOfFractionalDigits:1} }}
    net_amount,
    @UI:{ lineItem:[{ position: 50,
                      type:#AS_DATAPOINT }],
        dataPoint: { criticalityCalculation:{
                          improvementDirection: #MAXIMIZE ,
                          deviationRangeLowValue: 3000,
                          toleranceRangeLowValue: 9000 },
                      valueFormat:{
                          numberOfFractionalDigits:1} }}
    tax_amount
}
```

Service Definition에 추가로 expose하고, VSCode에도 새로운 Card를 추가합니다.
Card의 listFlavor가 standard가 아닌 bar입니다.

```
    "card04": {
      "model": "mainModel",
      "template": "sap.ovp.cards.list",
      "settings": {
        "title": "주문현황",
        "listType": "extended",
        "listFlavor": "bar",
        "entitySet": "OrdersOverview3"
      }
    }
```

결과를 확인해 보면, Bar List Card가 출력되고, 각 Amount 필드에 지정한
criticalityCalculation설정값에 따라 색 표시가되는 것을 확인할 수 있습니다.

500000001	**12.3K** EUR
EPM	**2.3K** EUR
(bar)	**14.6K** EUR
500000002	**4.7K** EUR
EPM	**899.1** EUR
(bar)	**5.6K** EUR
500000003	**1.4K** EUR
EPM	**272.1** EUR
(bar)	**1.7K** EUR

필드의 출력 순서에 따라 표시되는 위치를 한번 보면, 첫번째와 두번째 필드가 왼쪽 위와 가운데에 출력되고, 세번째 필드가 Bar를 그리는데 사용됐습니다. 그리고 오른쪽 맨 아래 값이 출력됩니다. 네번째, 다섯번째 필드가 오른쪽 위와 가운데에 출력됩니다.

Bar List Card의 listType을 extended가 아닌 condensed로 변경해보겠습니다.

주문현황   5 of 19

500000001		
(bar)	**14.6K** EUR	**12.3K** EUR
500000002		
(bar)	**5.6K** EUR	**4.7K** EUR
500000003		
(bar)	**1.7K** EUR	**1.4K** EUR
500000004		
(bar)	**770.0** EUR	**700.0** EUR
500000005		
(bar)	**88.0** EUR	**80.0** EUR

출력표시된 필드들중 첫번째 Character타입인 sales_order_id가 왼쪽 위에 출력되고, 다른 Charater타입 필드는 무시됩니다. Numberic타입 필드들 중 첫번째와 두번째가 표시되고 그 외의 Numberic타입 필드들 또한 무시됩니다. Card를 옆으로

늘려도 빈 공간만 늘어날 뿐 데이터가 추가로 표시되진 않습니다. 더 많은 데이터를 표시하고 싶다면, Overview Page가 아닌 다른 App 유형을 사용하여야 합니다.

3.5 Analytical Card

Dashboard를 구성하기 위해 필수적인 요소가 Chart입니다. Chart를 출력하기 위한 Overview Page의 Card가 Analytical Card입니다.

새로운 CDS View를 생성합니다.

```
@UI:{ chart: [{ qualifier: 'qfDonutChart' ,
               chartType: #DONUT ,
               dimensions:['lifecycle_status'],
               measures: ['tax_amount'],

dimensionAttributes:[{dimension:'lifecycle_status',
                                 role:#CATEGORY}],
               measureAttributes: [{ measure: 'tax_amount',
                                 role: #AXIS_1}]
               }]
}
define root view entity Zbr_P_SalesOrder_OV4
  as projection on Zbr_I_SalesOrder
{
  key sales_order_key,
  key sales_order_id,
      @EndUserText.label: 'Lifecycle Status'
      lifecycle_status,
      currency_code,
      @EndUserText.label: 'Tax Amount'
      @DefaultAggregation: #SUM
      tax_amount

}
```

Service Definition에 expose하고 manifest.jon에 새로운 Card로 등록합니다.

```
    "card05": {
      "model": "mainModel",
      "template": "sap.ovp.cards.charts.analytical",
      "settings": {
```

```
        "title": "주문상태",
        "description": "주문상태별 발생횟수",
        "entitySet": "OrdersOverview4",
        "chartAnnotationPath":
"com.sap.vocabularies.UI.v1.Chart#qfDonutChart"
      }
    }
```

chartAnnotationPath에 CDS View상단에 지정한 @UI.chart의 qualifier를 입력해
서로 연결했습니다.

CDS View의 @UI.chart Annotation에 chartType을 #DONUT에서 #BAR로만 변
경하면 손 쉽게 Chart형태를 변경할 수 도 있습니다.

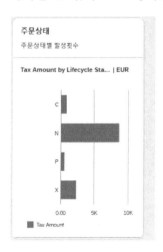

3.6 Card 공통기능

Overview Page에 자주 사용하는 Card유형과 구현방법에 대해 알아보았습니다. 이번에는 모든 Card가 가지는 공통된 기능에 대해 설명드리고자 합니다.

3.6.1 Tab

Tab기능은 하나의 Card에 동일한 유형의 Contents를 ComboBox로 선택하여 출력하게 하는 기능입니다. 동일한 유형의 Contents라는건 Analytical Card에는 Chart외에 List같은 Contents는 넣을 수 없다는 뜻입니다.

우리는 앞서 Standard List Card와 Bar List Card를 생성했으므로 이 두개를 하나의 Card로 합쳐보겠습니다. setting하위에 tabs라는 노드를 추가해 tab으로 표현한 Card의 정보를 입력힙니다.

```
"card06": {
  "model": "mainModel",
  "template": "sap.ovp.cards.list",
  "settings": {
    "title": "주문 정보",
    "description": "최근주문 현황",
    "tabs": [
      {
        "entitySet": "OrdersOverview",
        "value": "주문 정보 List",
        "listType": "extended",
        "listFlavor": "standard",
        "sortBy": "sales_order_id",
        "sortOrder": "descending"
      },
      {
        "entitySet": "OrdersOverview3",
        "value": "주문 정보 Bar",
        "listType": "extended",
        "listFlavor": "bar"
      }
```

```
            ]
        }
    }
```

결과를 확인해 보면 아래와 같이 ComboBox로 List Card를 선택할 수 있습니다.

혹시 뭔가 이상한 점을 발견하셨나요? setting에는 분명 listType을 extended로 했는데 모두 condensed형태로 출력되고 있고, listFlavor가 bar로 지정됐음에도 standard로 출력되고 있습니다. 앞서 설명드린 것처럼 동일한 Contents만 출력할 수 있기 때문에, extended냐 condensed냐를 지정하는 것도, listType이나 listFlavor를 지정하는 것도 tabs하위가 아닌 그 상위에 선언되어져야 합니다. 제대로된 Card설정은 아래와 같습니다.

```
"card06": {
  "model": "mainModel",
  "template": "sap.ovp.cards.list",
  "settings": {
    "title": "주문 정보",
    "description": "최근주문 현황",
    "listType": "extended",
    "listFlavor": "standard",
    "sortBy": "sales_order_id",
```

```
        "sortOrder": "descending",
        "tabs": [
          {
            "entitySet": "OrdersOverview",
            "value": "주문 정보 List"
          },
          {
            "entitySet": "OrdersOverview3",
            "value": "주문 정보 Bar"
          }
        ]
      }
    }
```

즉, 동일한 List Card라도 하나의 listType과 listFlavor로만 출력이 가능합니다.

3.6.2 Header

모든 Card는 Header를 가지고 있습니다. 지금은 Tiltle과 Description만 보여지고 있지만 Header는 KPI와 클릭 이벤트를 가질 수 있습니다. 첫번째로 생성했던 List Card에 Header를 구성해 보겠습니다.

CDS View Zbr_P_SalesOrder_OV에 새로운 Annotation을 추가합니다.

```
        @UI:{ lineItem: [{ position: 50 }]}
        net_amount,
        @UI:{ lineItem: [{ position: 60 }]}
        @EndUserText.label: 'Tax Amount'
        @UI.dataPoint: { qualifier:'qfTax',
                         criticalityCalculation:{
                                 improvementDirection: #MAXIMIZE ,
                                 deviationRangeLowValue: 3000.0,
                                 toleranceRangeLowValue: 15000.0
                         },
                         trendCalculation:{
                                 referenceValue:'net_amount',
                                 upDifference:100.0,
                                 downDifference:-100.0
                         }
        }
        tax_amount
}
```

tax_amount필드에 @UI.dataPoint Annotation을 추가했습니다. qualifier를 qfTax
로 해서 향후 UI에서 바라볼 수 있게 하였고, criticalityCalculation으로 색을 표시
하였습니다. trandCalculation으로는 referenceValue에 지정된 필드값과 비교하여
upDifference보다 크면 위로 화살표, downDifference보다 작으면 아래로 화살표
표시가 되도록 하였습니다.

이제 manifest.json파일로 가서 card01에 annotationPath를 지정합니다.

```
    "card01": {
      "model": "mainModel",
      "template": "sap.ovp.cards.list",
      "settings": {
        "title": "주문 정보",
        "description": "최근주문 현황",
        "entitySet": "OrdersOverview",
        "listType": "extended",
        "listFlavor": "standard",
        "sortBy": "sales_order_id",
        "sortOrder": "descending",
        "dataPointAnnotationPath":
"com.sap.vocabularies.UI.v1.DataPoint#qfTax"
      }
    },
```

dataPointAnnotataionPath를 qfTax로 지정했습니다. 결과를 확인해 보면 Card의
Header에 KPI값이 표시되는 걸 확인할 수 있습니다.

왜 2K란 값이 아래화살표와 함께 붉은색으로 표시되고, Target은 12K, Deviation은 -81%로 나오는 걸까요? 여러분 시스템에 저장된 데이터에 따라 다르겠지만, 현재 저의 시스템에는 ZSNWD_SO테이블에 NET_AMOUNT는 66,047.36이, TAX_AMOUNT에는 12,478.79값이 등록되어져 있습니다.

CLIE.	NODE_KEY	SO_ID	GROSS_AMOUNT	NET_AMOUNT	TAX_AMOUNT	LIFECYCLE_STATUS	
210	69DC682E1C841EEE9CC8B332FCC667D2	0500000001	14,602.49	12,271.00	2,331.49	N	
210	69DC682E1C841EEE9CC8B332FCC687D2	0500000002	5,631.08	4,732.00	899.08	X	
210	69DC682E1C841EEE9CC8B332FCC6A7...	0500000003	1,704.04	1,431.97	272.07	P	
210	69DC682E1C841EEE9CC8B332FCC6C7D2	0500000004	770.00	700.00	70.00	P	
210	69DC682E1C841EEE9CC8B332FCC6E7D2	0500000005	88.00	80.00	8.00	P	
210	69DC682E1C841EEE9CC8B332FCC707D2	0500000006	250.73	210.70	40.03	C	
210	69DC682E1C841EEE9CC8B332FCC727D2	0500000007	10,311.35	8,665.00	1,646.35	N	
210	69DC682E1C841EEE9CC8B332FCC747D2	0500000008	195.16	164.00	31.16	C	
210	69DC682E1C841EEE9CC8B332FCC767D2	0500000009	3,972.22	3,338.00	634.22	C	
210	69DC682E1C841EEE9CC8B332FCC787D2	0500000010	827.95	695.75	132.20	C	
210	69DC682E1C841EEE9CC8B332FCC7A7...	0500000011	325.94	273.90	52.04	C	
210	69DC682E1C841EEE9CC8B332FCC7C7D2	0500000012	24,704.40	20,760.00	3,944.40	N	
210	69DC682E1C841EEE9CC8B332FCC7E7D2	0500000013	8,256.22	6,938.00	1,318.22	X	
210	69DC682E1C841EEE9CC8B332FCC807D2	0500000014	3,459.33	2,907.00	552.33	N	
210	69DC682E1C841EEE9CC8B332FCC827D2	0500000015	862.73	724.98	137.75	X	
210	69DC682E1C841EEE9CC8B332FCC847D2	0500000016	70.18	58.97	11.21	X	
210	69DC682E1C841EEE9CC8B332FCC867D2	0500000017	178.14	149.70	28.44	N	
210	69DC682E1C841EEE9CC8B332FCC887D2	0500000018	871.55	732.40	139.15	N	
210	69DC682E1C841EEE9CC8B332FCC8A7...	0500000019	1,444.64	1,213.99	230.65	P	
				66,047.36	12,478.79		

2K는 어디서 나온 데이터일까요? Card의 데이터를 가져오는 Request를 브라우져에서 디버깅해보면 아래와 같습니다.

```
OrdersOverview?$skip=0&$top=1&$select=tax_amount%2ccurrency_code%2cnet_amount&$inlinecount=allpages
```

$top=1보이시나요? 네 정렬없이 무조건 첫번째 라인 값으로 Header에 KPI를 표시합니다. 이건 우리가 원하는 값이 아닙니다. 이렇게된 이유는 CDS View에 @DefaultAggregation을 지정하지 않았기 때문입니다. tax_amount와 net_amount에 @DefaultAggregation: #SUM을 지정합니다.

주문 정보   2 of 19
최근주문 현황 | EUR
12 ▽ K   Target 66K   Deviation -81%

500000019   400000038
4 weeks ago   1K EUR
1K EUR   231 EUR

500000018   400000038
4 weeks ago   872 EUR
732 EUR   139 EUR

이제 우리가 가지고 있는 tax_amount값인 12K로 표시되고, net_amount값이 66K로 표시됩니다.

criticalityCalculation에 따라 12K가 3,000보다 크고 5,000보다 작으니 Yellow(Orange)로 색 표시가 되고, trendCalculation에 따라 referenceValue인 net_amount와의 차이가 81%인데 그 차이값이 -100보다 크게 마이너스이니 아래로 화살표 표시가 됩니다.

모든 Card의 Header는 클릭 이벤트도 가지고 있습니다. CDS View에 @UI.identification과 @Consumption.semanticObject를 추가합니다.

```
define root view entity Zbr_P_SalesOrder_OV
  as projection on Zbr_I_SalesOrder
{
        @UI.identification: [{type:
#FOR_INTENT_BASED_NAVIGATION,
                           semanticObjectAction:
'todefaultapp'}]
        @Consumption.semanticObject: 'Action'
  key    sales_order_key,
...
```

Intent(Semantic Object, Action)를 기반으로 Navigation을 수행하고, SemanticObject는 'Action'이고 Action은 'todefaultapp'이란 의미의 Annotation 입니다. 예시의 SemanticObject가 'Action'이다 보니 좀 헷갈릴 수가 있는데 SAP 에서 제공하는 Sample프로그램들의 SemanticObject가 모두 'Action'이어서 그런 거니 이해하시기 바랍니다.

이제 Card의 Header를 클릭하면 해당 App으로 이동합니다.

사실 @UI.identification을 사용하면 Card Header에 클릭 이벤트가 생성된 것이 아니라 Card전체에 이벤트가 생성됩니다. 밑에 Line Item을 클릭해도 동일한 App 으로 이동합니다.

다만 URL을 확인해 보면, Header를 클릭했을 때와 달리 Line Item을 클릭하면 뒤에 클릭한 데이터값들이 파라미터로 추가됩니다. 호출되는 App에서는 이 파라미터를 보고 Header를 클릭해서 이동해온 것인지 Line Item을 클릭해서 이동해 온 것인지를 판단할 수 있습니다.

4 Analytical List Page

Fiori Element에는 데이터 분석 작업을 위한 Element도 있습니다. Analytical List Page입니다. ALP라고 줄여서도 부르는 Analytical List Page는 데이터를 단계별로 분석하고, 필요에 따라 드릴다운이나 데이터 시각화를 함으로써 관리자로 하여금 문제의 근본 원인을 조사하고 필요한 조치를 취할 수 있게 합니다.

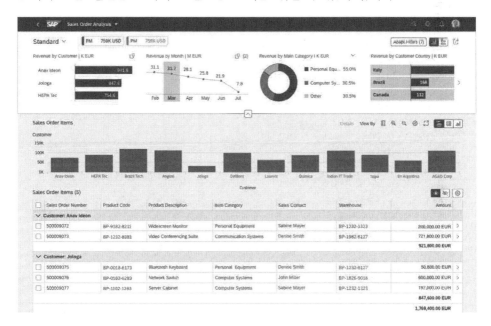

상단에는 KPI Tag가 위치할 수 있고, Visual Filter와 Main Chart, Main Grid로 구성된 Layout을 가지고 있습니다. Visual Filter가 Chart형태이기 때문에 구성 지표를 클릭하면 하위 Main Chart와 Main Grid가 Filter되어 데이터가 Drill Down되는 형태를 띄게 됩니다.

Main Chart는 사용자가 Dynamic하게 Chart의 형태나, 대상 지표등을 변경할 수 있기 때문에 데이터 분석 작업이 가능하게 하고, 최종적으로 Main Grid의 라인아 이템을 클릭하면 상세데이터를 위한 Object Page나 다른 App으로 이동을 할 수 있습니다.

4.1 Visual Filter Bar

ALP는 두 종류의 Filter Bar를 가질 수 있습니다. List Report에서 사용했던 Smart Filter Bar와 Chart형태의 Visual Filter Bar입니다. 실습을 위해 새로운 CDS View Zbr_P_SalesOrder_ALP를 생성하겠습니다. Interface View는 Zbr_I_SalesOrder_CP 를 사용합니다.

```
@EndUserText.label: 'Sales Order ALP'
@AccessControl.authorizationCheck: #NOT_REQUIRED
define root view entity Zbr_P_SalesOrder_ALP
  as projection on Zbr_I_SalesOrder_CP
{
  key sales_order_key,
      sales_order_id,
      created_at,
      created_by_id,
      @UI:{ selectionField: [{ position: 10 }]}
      lifecycle_status,
      created_by_key,
      currency_code,
      @DefaultAggregation: #SUM
      gross_amount,
      @DefaultAggregation: #SUM
      net_amount,
      @DefaultAggregation: #SUM
      tax_amount,
      first_name,
      email_address,
      phone_number

}
```

아주 단순한 형태의 CDS View로 필터 하나만 있고, 출력하는 필드는 지정하지 않았습니다. 그리고 Amount관련 필드는 합계가 되도록 했습니다.

Service Definition에 새로운 CDS View를 expose하는 것을 잊지 마시고, VSCode

로 가서 새로운 Fiori Element인 Analytical List Report를 zbr_f_sales_alp로 생성
합니다.

**Analytical List Page*는 현재 OData V4를 지원하지 않습니다. OData V2를 사용
하시기 바랍니다.*

ALP를 실행해 보면 상단에 Filter만 있고 하단은 비어있는 App이 출력됩니다.

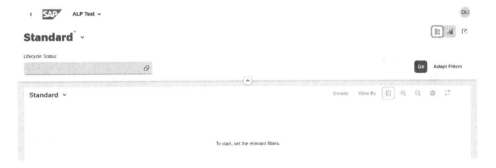

이제 여기에 Visual Filter를 추가해 보겠습니다.

```
@UI.presentationVariant: [{ qualifier:'qfStatusFilter',
                           visualizations: [{
                                   type: #AS_CHART,
                                   qualifier: 'qfDonutChart' }]
                 }]
@UI.chart: [{ qualifier: 'qfDonutChart' ,
            chartType: #DONUT ,
            dimensions:['lifecycle_status'],
            measures: ['tax_amount'],
```

```
dimensionAttributes:[{dimension:'lifecycle_status',
                                  role:#CATEGORY}],
              measureAttributes: [{ measure: 'tax_amount' ,
                                  role: #AXIS_1}]
          }]
define root view entity Zbr_P_SalesOrder_ALP
  as projection on Zbr_I_SalesOrder_CP
{
  key sales_order_key,
      sales_order_id,
      created_at,
      created_by_id,
      @UI:{ selectionField: [{ position: 10 }]}
      @Consumption.valueHelpDefinition: [
        { entity:{ name:'Zbr_I_SlsOrdLifeCycleStatus_VH',
                    element:'SalesOrderLifeCycleStatus' }},
        { entity:{ name:'Zbr_P_SalesOrder_ALP' },
                    qualifier:'qfStatusVisualFilter',
                    presentationVariantQualifier:'qfStatusFilter'
                    } ]
      lifecycle_status,
...
```

우선 Visual Filter로 출력할 필드 lifecycle_status에 Value Help를 위한 Annotation을 추가합니다. 이건 List Report를 학습할 때 이미 배운 Annotation 입니다. 여기에 새로운 Value Help관련 Annotation을 추가했습니다.

qualifier는 Smart Filter Bar의 Value Help와 구분하기 위해서 지정한 ID정도로 생각하시면 됩니다. 이 qualifier를 지정하지 않으면 Visual Filter가 아닌 Smart Filter의 Value Help로 인식하니 반드시 지정해야 합니다.

또한, Visual Filter는 Smart Filter와는 다르게 숫자값이 Aggregation되어있는 CDS View를 Value Help의 entity로 지정해야 합니다. 따로 CDS View를 생성하여 지정해도 되지만 여기선 자기 자신을 지정하였습니다. 어차피 자기 자신 필드값들의 합계가 Visual Filter의 Chart로 표현되어야 하기 때문입니다.

마지막으로 presentationVariantQualifier를 지정해, 이후 설정은 @UI.presentationVariant란 Annotation에서 지정된 값을 사용하도록 연결 하였습

니다.

@UI.presentationVariant Annotation에서는 출력과 관련된 type을 #DONUT으로
하여 Chart를 바라보게 했고, 그 Chart의 설정은 qualifier로 @UI.chart와 연결하
였습니다.

최종적으로 @UI.chart Annotation에서 Visual Filter의 Chart형태를 설정하였습니
다.

결과 화면은 아래와 같습니다.

동일한 방식으로 created_by_id필드로도 Visual Filter를 추가해 보면 다음과 같이
Annotation을 작성하면 됩니다.

```
@UI.presentationVariant: [{ qualifier:'qfStatusFilter',
                    visualizations: [{
                             type: #AS_CHART,
                             qualifier: 'qfDonutChart' }]
               },
               { qualifier:'qfCustomerFilter',
                 visualizations: [{
                             type: #AS_CHART,
                             qualifier: 'qfBarChart' }]
               }]
@UI.chart: [{ qualifier: 'qfDonutChart' ,
         chartType: #DONUT ,
         dimensions:['lifecycle_status'],
         measures: ['tax_amount'],
```

```
dimensionAttributes:[{dimension:'lifecycle_status',
                                  role:#CATEGORY}],
          measureAttributes: [{ measure: 'tax_amount' ,
                                  role: #AXIS_1}]
        },
        { qualifier: 'qfBarChart' ,
          chartType: #BAR ,
          dimensions:['created_by_id'],
          measures: ['net_amount'],
          dimensionAttributes:[{dimension:'created_by_id',
                                  role:#CATEGORY}],
          measureAttributes: [{ measure: 'net_amount',
                                     role: #AXIS_1}]
        }]
define root view entity Zbr_P_SalesOrder_ALP
  as projection on Zbr_I_SalesOrder_CP
{
  key sales_order_key,
      sales_order_id,
      created_at,
      @UI:{ selectionField: [{ position: 20 }] }
      @Consumption.valueHelpDefinition: [
       { entity:{ name:'sepm_sddl_employees',
                  element:'employee_id' }},
       { entity:{ name:'Zbr_P_SalesOrder_ALP' },
              qualifier:'qfCustomerFilter',
              presentationVariantQualifier:'qfCustomerFilter'}]
      created_by_id,
...
```

따로 설명은 생략하겠으니 각자 적용해 보시고 결과를 확인해 보시기 바랍니다.

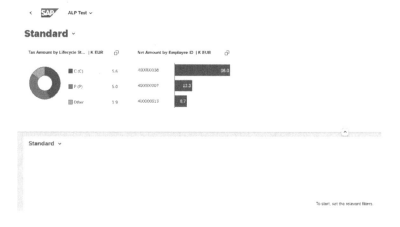

4.2 Main Chart

ALP에서 데이터 분석을 위한 Main Chart를 추가해 보겠습니다. Main Chart구성을 위해서는 List Report에서 Multiple View를 위해 사용했던 @UI.selectionPresentationVariant가 필요 합니다.

```
@UI.selectionPresentationVariant:
[{ presentationVariantQualifier: 'qfAmountChart' }]
@UI.presentationVariant: [
            { qualifier:'qfStatusFilter',
              visualizations: [{ type: #AS_CHART,
                                  qualifier: 'qfDonutChart' }]
            },
            { qualifier:'qfCustomerFilter',
              visualizations: [{ type: #AS_CHART,
                                  qualifier: 'qfBarChart' }]
            },
            { qualifier:'qfAmountChart',
              visualizations: [{ type: #AS_CHART,
                                  qualifier: 'qfLineChart' }]
            }]
@UI.chart: [{ qualifier: 'qfDonutChart' ,
            chartType: #DONUT ,
            dimensions:['lifecycle_status'],
            measures: ['tax_amount'],

dimensionAttributes:[{dimension:'lifecycle_status',
                                role:#CATEGORY}],
            measureAttributes: [{ measure: 'tax_amount' ,
                                role: #AXIS_1}]
          },
          { qualifier: 'qfBarChart' ,
            chartType: #BAR ,
            dimensions:['created_by_id'],
            measures: ['net_amount'],
            dimensionAttributes:[{dimension:'created_by_id',
                                role:#CATEGORY}],
            measureAttributes: [{ measure: 'net_amount',
                                role: #AXIS_1}]
          },
          { qualifier: 'qfLineChart' ,
            chartType: #LINE ,
            dimensions:['created_at'],
            measures: ['net_amount'],
```

```
          dimensionAttributes:[{dimension:'created_at',
                               role:#CATEGORY}],
          measureAttributes: [{ measure: 'net_amount',
                               role: #AXIS_1}]
          }]
define root view entity Zbr_P_SalesOrder_ALP
...
```

@UI.selectionPresentationVariant가 바라보는 @UI.presentationVariant도 하나 추가했고, 다시 Chart구성을 위해 @UI.chart에도 아이템을 추가했습니다.

결과화면을 보면 처음엔 빈화면으로 출력될텐데 Go버튼을 누르면 Chart가 출력됩니다.

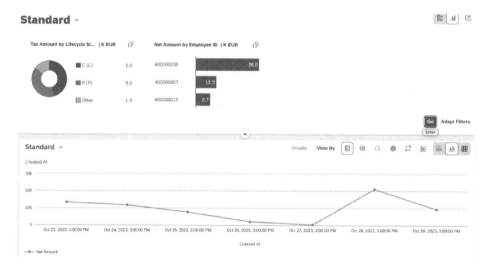

참고로 Main Chart우측 상단에 설정버튼들로 출력하는 Chart의 형태나 Dimension, Measure를 직접 변경하면서 데이터 분석 작업을 수행할 수 있습니다.

4.3 Main Grid

Main Chart하단에는 Main Grid가 있습니다. Main Grid는 단순하게 @UI.lineItem Annotation만 추가하면 됩니다. List Report에서 학습했던 Progress Bar나 Criticality, Chart등도 사용할 수 있고 Object Page와도 연결할 수 있습니다.

Main Grid와 Object Page까지 연결하는 모든 Annotation이 추가된 최종적인 CDS View는 다음과 같습니다.

```
@EndUserText.label: 'Sales Order ALP'
@AccessControl.authorizationCheck: #NOT_REQUIRED
@UI.selectionPresentationVariant: [{
                presentationVariantQualifier: 'qfAmountChart' }]
@UI.presentationVariant: [{
                  qualifier:'qfStatusFilter',
                  visualizations: [{ type: #AS_CHART,
                                     qualifier:
'qfDonutChart' }]
                },
              { qualifier:'qfCustomerFilter',
                visualizations: [{ type: #AS_CHART,
                                   qualifier: 'qfBarChart' }]
                },
              { qualifier:'qfAmountChart',
                visualizations: [{ type: #AS_CHART,
                                   qualifier: 'qfLineChart' }]
                }]
@UI.chart: [{ qualifier: 'qfDonutChart' ,
            chartType: #DONUT ,
            dimensions:['lifecycle_status'],
            measures: ['tax_amount'],

dimensionAttributes:[{dimension:'lifecycle_status',
                               role:#CATEGORY}],
            measureAttributes: [{ measure: 'tax_amount' ,
                           role: #AXIS_1}]
           },
           { qualifier: 'qfBarChart' ,
             chartType: #BAR ,
             dimensions:['created_by_id'],
             measures: ['net_amount'],
             dimensionAttributes:[{dimension:'created_by_id',
                               role:#CATEGORY}],
             measureAttributes: [{ measure: 'net_amount',
                           role: #AXIS_1}]
           },
           { qualifier: 'qfLineChart' ,
             chartType: #LINE ,
             dimensions:['created_at'],
             measures: ['net_amount'],
             dimensionAttributes:[{dimension:'created_at',
```

```
                                     role:#CATEGORY}],
              measureAttributes: [{ measure: 'net_amount',
                                     role: #AXIS_1}]
          },
          { qualifier: 'qfStatusChart',
            title: 'Status Chart',
            description: 'LifeCycle Status',
            chartType: #DONUT ,
            measures: ['status_chart'],
            measureAttributes: [{ measure: 'status_chart' ,
                                   role: #AXIS_1,
                                   asDataPoint: true }]
          }]
define root view entity Zbr_P_SalesOrder_ALP
  as projection on Zbr_I_SalesOrder_CP
{
      @UI.facet: [{ id: 'idHeaderProgress',
                    type: #DATAPOINT_REFERENCE,
                    purpose: #HEADER,
                    targetQualifier: 'status_progress'},
                  { id: 'idHeaderChart',
                    type: #CHART_REFERENCE,
                    purpose: #HEADER,
                    targetQualifier: 'qfStatusChart' },
                  { id: 'idHeaderDateTime',
                    purpose: #HEADER,
                    type: #FIELDGROUP_REFERENCE,
                    targetQualifier: 'qfCreateDateTime',
                    label: 'Create Information' },
                  { id: 'idHeaderDateTime2',
                    purpose: #HEADER,
                    type: #FIELDGROUP_REFERENCE,
                    targetQualifier: 'qfChangeDateTime',
                    label: 'Change Information' },
                  { id: 'idGeneralInfo',
                    purpose: #STANDARD,
                    type: #COLLECTION,
                    label: 'General Info',
                    position: 10 },
                  { id: 'idSalesGroup',
                    purpose: #HEADER,
                    type: #FIELDGROUP_REFERENCE,
                    label: 'Sales Info',
                    targetQualifier: 'qfSalesInfo'},
                  { id: 'idBodyDateTime',
                    purpose: #STANDARD,
```

```
                    type: #FIELDGROUP_REFERENCE,
                    targetQualifier: 'qfCreateDateTime',
                    label: 'Create Information',
                    parentId:'idGeneralInfo' },
                { id: 'idBodyDateTime2',
                  purpose: #STANDARD,
                  type: #FIELDGROUP_REFERENCE,
                  targetQualifier: 'qfChangeDateTime',
                  label: 'Change Information',
                  parentId:'idGeneralInfo' },
                { id: 'idAmountGroup',
                  purpose: #STANDARD,
                  type: #FIELDGROUP_REFERENCE,
                  label: 'Amount Info',
                  targetQualifier: 'qfAmountInfo',
                  parentId:'idGeneralInfo' },
                { id: 'idItemInformation',
                  purpose: #STANDARD,
                  type: #COLLECTION,
                  label: 'Order Item',
                  position: 20 },
                { id: 'idItemLine',
                  parentId: 'idItemInformation',
                  type: #LINEITEM_REFERENCE,
                  position: 10,
                  targetElement: 'items'}
          ]
  key sales_order_key,
      @UI:{ lineItem: [{ position: 10 }]}
      @UI.fieldGroup: [{ qualifier: 'qfSalesInfo', position:
10 }]
      sales_order_id,
      @UI:{ lineItem: [{ position: 20 }]}
      @UI.fieldGroup: [{ qualifier: 'qfCreateDateTime',
                         position: 20 }]
      created_at,
      @UI:{ lineItem: [{ position: 30 }],
            selectionField: [{ position: 20 }] }
      @UI.fieldGroup: [{ qualifier: 'qfCreateDateTime',
                         position: 10 }]
      @Consumption.valueHelpDefinition: [
              { entity:{ name:'sepm_sddl_employees',
                         element:'employee_id' }},
              { entity:{ name:'Zbr_P_SalesOrder_ALP' },
                qualifier:'qfCustomerFilter',
```

```
                     presentationVariantQualifier:'qfCustomerFilter'
} ]
    created_by_id,
    @UI.fieldGroup: [{ qualifier: 'qfChangeDateTime',
                       position: 20 }]
    changed_at,
    @UI.fieldGroup: [{ qualifier: 'qfChangeDateTime',
                       position: 10 }]
    changed_by_id,
    @UI:{ lineItem: [ { position:90 },
                      { type: #FOR_ACTION,
                        dataAction: 'set_status_progress',
                        label: 'Set Progress' } ],
        selectionField: [{ position: 10 }] }
    @Consumption.valueHelpDefinition: [
      { entity: { name: 'Zbr_I_SlsOrdLifeCycleStatus_VH' ,
                 element: 'SalesOrderLifeCycleStatus' }},
      { entity:{ name:'Zbr_P_SalesOrder_ALP' },
             qualifier:'qfStatusVisualFilter',
             presentationVariantQualifier:'qfStatusFilter'}]
    lifecycle_status,
    @UI.hidden: true
    status_color,
    @UI.lineItem: [{ position: 85, type: #AS_DATAPOINT }]
    @UI.dataPoint: { visualization: #PROGRESS ,
                   targetValueElement: 'complete_progress',
                   criticality: 'status_color',
                   title: 'Status' }
    @EndUserText.label: 'Status Progress'
    status_progress,
    @UI.hidden: true
    complete_progress,
    @UI:{ lineItem: [{ position: 86,
                      type: #AS_CHART,
                      label:'Status Chart',
                      valueQualifier: 'qfStatusChart'}] }
    @UI.dataPoint: { targetValueElement: 'complete_progress',
                   criticalityCalculation:{
                            improvementDirection: #MAXIMIZE,
                            deviationRangeLowValue: 50.00,
                            toleranceRangeLowValue: 80.00}}
    status_chart,
    created_by_key,
    currency_code,
    @DefaultAggregation: #SUM
    @UI:{ lineItem: [{ position: 50 }]}
```

```
@UI.fieldGroup: [{ qualifier: 'qfAmountInfo',
                   position: 10 }]
gross_amount,
@DefaultAggregation: #SUM
@UI:{ lineItem: [{ position: 60 }]}
@UI.fieldGroup: [{ qualifier: 'qfAmountInfo',
                   position: 20 }]
net_amount,
@DefaultAggregation: #SUM
@UI:{ lineItem: [{ position: 70 }]}
@UI.fieldGroup: [{ qualifier: 'qfAmountInfo',
                   position: 30 }]
tax_amount,
first_name,
email_address,
phone_number,

items
}
```

지금까지 학습한 Annotation을 모두 사용하다보니 상당히 복잡하게 느껴지실 겁니다. 복습한다는 생각으로 천천히 따라서 타이핑하고 이해해 보시기 바랍니다. 최종 결과 화면은 아래와 같습니다.

5 Metadata Extension

Projection View를 보면 필드를 정의하는 구문과 Annotation구문이 함께 작성되어져 있습니다. 그러다보니 당장 보기가 불편합니다. 보기가 불편한것 뿐 만 아니라 lineItem의 label을 고치면 전체 Projection View를 다시 Active하고 운영시스템으로 이관해야 하는 문제점이 있습니다. 만약 CDS View가 여러 곳에서 참조되어 사용되고 있다면 Active나 운영 시스템으로 이관시 문제를 야기할 수도 있습니다. Label만 고쳤을 뿐 다른 로직은 전혀 관계가 없는데도 말이죠.

이러한 문제를 방지하기 위해 Annotation만 따로 분리해 Metadata Extension을 생성할 수 있습니다.

새로운 Object인 Metadata Extension을 추가하겠습니다. Eclipse의 Core Data Services폴더에 마우스 오른클릭을 하고 New->Metadata Extension을 선택합니다.

Name: *	ZBR_P_SALESORDER_CP
Description: *	Zbr_P_SalesOrder_CP Metadata Ext
Original Language:	EN
Extended Entity:	Zbr_P_SalesOrder_CP	Browse...

Metadata Extention의 Template은 Annotate Entity를 선택하여 생성하고, Projection CDS View Zbr_P_SalesOrder_CP에 있던 Annotation을 모두 옮겨오겠습니다.

```
@Metadata.layer: #CUSTOMER
@UI:{ headerInfo: {
    typeNamePlural: 'Sales Orders', //List 헤더 타이틀
    typeName: 'Sales Order', //App 타이틀
    title:{ value: 'sales_order_id' }, //Object page 타이틀
    description:{ value: 'first_name' }}//Object page 서브타이틀
}
@UI.chart: [{ qualifier: 'qfStatusChart',
        title: 'Status Chart',
```

```
                description: 'LifeCycle Status',
                chartType: #DONUT ,
                measures: ['status_chart'],
                measureAttributes: [{ measure: 'status_chart' ,
                                      role: #AXIS_1,
                                      asDataPoint: true }]
                }]
@UI.selectionVariant: [ { text:'Sales Order',
                          qualifier:'qfSalesOrder' },
                        { qualifier: 'qfLifecycleStatusN',
                          text: 'New',
                          filter: 'lifecycle_status EQ "N"'},
                        { qualifier: 'qfLifecycleStatusP',
                          text: 'In Progress',
                          filter: 'lifecycle_status EQ "P"'},
                        { qualifier: 'qfLifecycleStatusC',
                          text: 'Closed',
                          filter: 'lifecycle_status EQ "C"'},
                        { qualifier: 'qfLifecycleStatusX',
                          text: 'Cancel',
                          filter: 'lifecycle_status EQ "X"'}
]
annotate entity Zbr_P_SalesOrder_CP with
{
  @UI.facet: [{ id: 'idHeaderProgress',
                type: #DATAPOINT_REFERENCE,
                purpose: #HEADER,
                targetQualifier: 'status_progress'},
              { id: 'idHeaderChart',
                type: #CHART_REFERENCE,
                purpose: #HEADER,
                targetQualifier: 'qfStatusChart' },
              { id: 'idHeaderDateTime',
                purpose: #HEADER,
                type: #FIELDGROUP_REFERENCE,
                targetQualifier: 'qfCreateDateTime',
                label: 'Create Information' },
              { id: 'idHeaderDateTime2',
                purpose: #HEADER,
                type: #FIELDGROUP_REFERENCE,
                targetQualifier: 'qfChangeDateTime',
                label: 'Change Information' },
              { id: 'idGeneralInfo',
                purpose: #STANDARD,
                type: #COLLECTION,
                label: 'General Info',
```

```
                        position: 10 },
                { id: 'idSalesGroup',
                  purpose: #HEADER,
                  type: #FIELDGROUP_REFERENCE,
                  label: 'Sales Info',
                  targetQualifier: 'qfSalesInfo'},
                { id: 'idBodyDateTime',
                   purpose: #STANDARD,
                   type: #FIELDGROUP_REFERENCE,
                   targetQualifier: 'qfCreateDateTime',
                   label: 'Create Information',
                   parentId:'idGeneralInfo' },
                { id: 'idBodyDateTime2',
                  purpose: #STANDARD,
                  type: #FIELDGROUP_REFERENCE,
                  targetQualifier: 'qfChangeDateTime',
                  label: 'Change Information',
                  parentId:'idGeneralInfo' },
                { id: 'idAmountGroup',
                  purpose: #STANDARD,
                  type: #FIELDGROUP_REFERENCE,
                  label: 'Amount Info',
                  targetQualifier: 'qfAmountInfo',
                  parentId:'idGeneralInfo' },
                { id: 'idItemInformation',
                  purpose: #STANDARD,
                  type: #COLLECTION,
                  label: 'Order Item',
                  position: 20 },
                { id: 'idItemLine',
                  parentId: 'idItemInformation',
                  type: #LINEITEM_REFERENCE,
                  position: 10,
                  targetElement: 'items'}
    ]

@UI:{ lineItem: [ { position:10 }],
      selectionField: [{ position:10 }] }
@UI.fieldGroup: [{ qualifier: 'qfSalesInfo', position: 10 }]
sales_order_id;
@UI.lineItem:[{position: 20}]
@UI.fieldGroup: [{ qualifier: 'qfCreateDateTime',
                   position: 20 }]
created_at;
@UI.lineItem:[{position: 30}]
@UI.fieldGroup: [{ qualifier: 'qfChangeDateTime',
```

```
                          position: 20 }]
changed_at;
@UI.fieldGroup: [{ qualifier: 'qfCreateDateTime',
                          position: 10 }]
created_by_id;
@UI.fieldGroup: [{ qualifier: 'qfChangeDateTime',
                          position: 10 }]
changed_by_id;
@UI.lineItem:[{position: 40}]
sales_opportunity_id;
@UI.lineItem:[{position: 50}]
currency_code;
@UI.lineItem:[{position: 60}]
@UI.fieldGroup: [{ qualifier: 'qfAmountInfo', position: 10 }]
gross_amount;
@UI.lineItem:[{position: 70}]
@UI.fieldGroup: [{ qualifier: 'qfAmountInfo', position: 20 }]
net_amount;
@UI.lineItem:[{position: 80}]
@UI.fieldGroup: [{ qualifier: 'qfAmountInfo', position: 30 }]
tax_amount;
@UI:{ lineItem: [ { position:90,
                    criticality:'status_color' } ],
      selectionField: [{ position:20 }] }
@Consumption.valueHelpDefinition: [ {
          entity: { name: 'Zbr_I_SlsOrdLifeCycleStatus_VH',
                    element: 'SalesOrderLifeCycleStatus' }}]
@UI.textArrangement: #TEXT_ONLY
lifecycle_status;
@UI.hidden: true
status_color;
@UI.lineItem: [{ position: 85, type: #AS_DATAPOINT }]
@UI.dataPoint: { visualization: #PROGRESS ,
                 targetValueElement: 'complete_progress',
                 criticality: 'status_color',
                 title: 'Status' }
@EndUserText.label: 'Status Progress'
status_progress;
@UI.hidden: true
complete_progress;
@UI:{ lineItem: [{ position: 86,
                 type: #AS_CHART,
                 label:'Status Chart',
                 valueQualifier: 'qfStatusChart'}] }
@UI.dataPoint: { targetValueElement: 'complete_progress',
                 criticalityCalculation:{
```

```
                                   improvementDirection: #MAXIMIZE,
                                   deviationRangeLowValue: 50.00,
                                   toleranceRangeLowValue: 80.00}}
   status_chart;
   @UI.lineItem:[{position: 100}]
   billing_status;
   @UI.lineItem:[{position: 110}]
   delivery_status;
   @UI:{ lineItem: [ { position:120 } ],
        selectionField: [{ position:40 }] }
   first_name;
   @UI.lineItem:[{position: 130}]
   email_address;
   @UI.lineItem:[{position: 140}]
   phone_number;
}
```

실제 Annotation이 사용된 필드만 Metadata Extension에 작성한다는 것과, 각 필드 구분을 콤마가 아닌 세미 콜론으로 한다는 정도만 변화가 있습니다.

이제 CDS View에는 Metadata Extension을 사용했다는 Annotation인 @Metadata.allowExtensions를 상단에 추가합니다. CDS View는 아래와 같이 Annotation이 제거되어 한결 간결해지게 됩니다.

```
@EndUserText.label: 'Sales Order Composition Parent'
@AccessControl.authorizationCheck: #NOT_REQUIRED
@Metadata.allowExtensions: true
define root view entity Zbr_P_SalesOrder_CP
  as projection on Zbr_I_SalesOrder_CP
{
  key    sales_order_key,
         sales_order_id,
         created_by_key,
         changed_by_key,
         created_at,
         changed_at,
         created_by_id,
         changed_by_id,
         note_key,
         sales_opportunity_id,
         currency_code,
         gross_amount,
         net_amount,
         tax_amount,
```

```
            @ObjectModel.text.element: ['lifecycle_statusT']
            lifecycle_status,
            status_color,
            status_progress,
            complete_progress,
            status_chart,
            lifecycleT.SalesOrderLifeCycleStatusName
            as lifecycle_statusT : localized,
            billing_status,
            delivery_status,
            buyer_key,
            first_name,
            email_address,
            phone_number,
            /* Associations */
            changed_by_employee,
            created_by_employee,
            items : redirected to composition
                    child Zbr_P_SalesOrderItem_CP
}
```

결과를 확인해 보면, 당연히 변화없이 Annotation이 잘 적용된 모습입니다.

5.1 Annotation 위치

Annotation은 deine 구문 상단이나 하단, 그리고 각 필드 선언 상단에 위치할 수 있습니다. 지금까지는 그냥 어디에 어떤 Annotation을 쓰면 된다 정도로만 설명을 드렸었으나 Annotation은 그 종류에 따라 작성 위치가 정해져 있습니다.

예를 들어 @UI.headerInfo라는 Annotation을 define구문 하단에 작성하면 잘못된 위치라고 오류가 표시됩니다.

```
26  annotate entity Zbr_P_SalesOrder_CP with
27  {
28
⊗ 29⊖ @UI:{ headerInfo: { typeNamePlural: 'Sales Orders', //List 헤더 타이틀
⊗ 30                      typeName: 'Sales Order', //App 타이틀
⊗ 31                      title:{ value: 'sales_order_id' }, //Object page 타이틀
⊗ 32  Annotation 'UI.headerInfo.description.value' used at wrong position (wrong scope) page 서브타이틀
   33  }
```

@UI.chart나 @UI.selectionVariant도 마찬가지로 define구문 상단에 위치해야 합니다. 반면에 @UI.facet이나 @UI.lineItem등의 Annotation은 define구문 상단에

위치하면 오류가 표시됩니다.

**SAP공식 가이드 문서에는 define구문 상단과 하단(select list)로만 구분하는데 설명의 용이성을 위해 3개 위치로 구분해서 설명드립니다.

보통 CDS View에 Global하게 적용되는 Annotation은 define상단에 위치하고, Object Page와 각 필드에 대한 Annotation은 define하단에 위치합니다. (@UI.facet 같은 경우는 define바로 밑이 아닌 @UI.lineItem과 같이 특정 필드 상단에 위치시켜도 정상 동작하지만 관리의 용이성을 위해 보통 define바로 밑에 위치시킵니다.) 그리고 특정 필드에 종속되어야 하는 Annotation인 @UI.lineItem 등은 각 필드 상단에 위치해야 정상동작 합니다.

Entity Set 전체에 적용되는 Annoation은 define상단, 하나의 Instance(Line Item) 전체에 적용되는 Annotation은 define하단, 각각의 필드에 적용되는 Annotataion 은 필드 상단에 위치시킨다 정도로 기억해 두시면 되겠습니다.

특히 Metadata Extension을 사용하는 경우, CDS View의 모든 Annotation이 옮겨가는 것이 아니라 @ObjectModel이나 @DefaultAggregation과 같은 데이터 모델링에 관련된 Annotation은 CDS View에 작성되어야 한다는 것도 알아두시기 바랍니다.

5.2 Annotation Override

Annotation은 Override됩니다. Table->Interface View->Projection View->Metadata Extension순으로 작성된 Annotation은 하위에 선언된 Annotation을 상위 Annotation이 Override합니다.

즉, Interface View에 @UI.lineItem.lable을 'Sales'로 지정하고, Projection View에서 다시 'Sales No'등으로 재 지정했을 경우 Projection View의 Label인 'Sales No' 가 출력됩니다.

Interface View를 하나 만들고 이를 Projection하는 여러 Projection View를 생성

하는 경우 Projection View마다 Annotation을 달리 작성하여 Fiori App을 개발할 수 있다는 뜻이 되겠습니다.

5.3 UI Annotation

앞서 Annotation Override를 말씀드렸는데 Annotation은 UI영역인 Fiori App에서 한번 더 Override될 수 있습니다.

OData V4로 생성된 OData Service는 다음과 같은 URL을 통해 metadata를 확인 해 보면, CDS View와 Metadata Extesion에서 작성된 Annotation을 XML형태로 반환 받을 수 있습니다. Fiori App은 이 metadata를 보고 화면을 그리고 기능을 정의하게 됩니다.

```
http://www.brdev.co.kr:8080/sap/opu/odata4/sap/zbr_b_sales/srvd/sap/zbr_d
_sales/0001/$metadata
```

반환된 XML을 보면 전체 OData Service에 대한 상세 사양과 Annotation이 있습니다.

VSCode에서 새로운 annotation.xml파일을 생성하여 해당 Annotation을 UI에서
다시 Override할 수 있습니다.

결과를 확인해 보면 UI Label Sales라는 필드 하나만 출력되는데 이는 UI
Annotation의 Override가 <Annotation> 노드 단위로 일어나기 때문입니다. 하
나의 필드를 Override했다면 나머지 필드들에 대한 정의도 모두 해주어야 합니다.

Standard ˟ ˅

Sales Order ID:		First Name:	

Sales Order (19)   **Sales Order Item (122)**

Sales Orders New (2) ˅

UI Label Sales	
500000006	>
500000018	>

UI Annotation을 사용하면 동일한 Projection View로 Fiori App마다 다른 형태로
출력할 수 있게 됩니다.

6장. EML(Entity Manipulation Language)

EML은 새로 도입된 ABAP언어의 일부로 RAP BO에 대한 접근을 위해 사용됩니다. 우리는 RAP를 학습하면서 단순한 형태의 EML을 이미 사용했었습니다. 예를들어 RAP의 BO에 대한 Read를 하기위해서는 아래와 같은 EML을 사용했습니다.

```
READ ENTITIES OF zbr_i_salesorder IN LOCAL MODE
      ENTITY zbr_i_salesorder
      ALL FIELDS WITH
      CORRESPONDING #( keys )
      RESULT DATA(orders).
```

Entity zbr_i_salesorder에 대해 전달받은 key값들로 Read연산을 수행하여 전체 필드값을 orders라는 internal table에 할당하는 구문입니다.

물론 import parameter로 넘어온 keys값에 따라 CDS View나 Database Table에서 직접 데이터를 검색해도 됩니다. 그러나 RAP 전달 양식에 맞는 데이터 구조를 생성하기 위해서 EML을 사용하는 것이 대부분의 경우에서 효과적이고 필수적입니다.

디버깅을 통해 orders라는 internal table 구조를 보면, 단순히 데이터 필드들만 있는 것이 아니라 %PID, %IS_DRAFT와 같이 RAP가 내부적으로 사용하는 필드들도 존재하는 것을 알 수 있습니다.

```
76⊖   METHOD calculate_amount.
77      READ ENTITIES OF zbr_i_salesorder IN LOCAL MODE
78        ENTITY zbr_i_salesorder
79        ALL FIELDS WITH
80        CORRESPONDING #( keys )
81        RESULT DATA(orders).
82
83⊖      LOOP AT orders
84⊖        IF <order>-ne
85          <order>-tax
86          <order>-gro
87        ENDIF.
88      ENDLOOP.
89
90      MODIFY ENTITIES
91        ENTITY zbr_i
92        UPDATE FIELD
93        WITH CORRESP
04      ENDMETHOD
```

```
▼ ♥ [1]
    ▦ %IS_DRAFT
    ▦ %PID
    ▦ SALES_ORDER_KE
    ▦ SALES_ORDER_ID
    ▦ CREATED_BY_KEY
```

```
▼ ◆ ORDERS = [1x23(940)]Standard Table
  ▼ ◆ [1] = Structure: flat, not charlike...
      ▦ %IS_DRAFT = 00
      ▦ %PID = 91307422C76F1EEEA4E8153CBD810E51
      ▦ SALES_ORDER_KEY = 00000000000000000000000000000000
      ▦ SALES_ORDER_ID =
      ▦ CREATED_BY_KEY = 00000000000000000000000000000000
      ▦ CHANGED BY KEY = 00000000000000000000000000000000
[1x23(940)]Standard Table
```

1 READ

RAP BO의 Entity를 읽어 오는 EML구문은 READ입니다. EML은 ABAP언어의 일부
분이기 때문에 사실 사용법은 그리 어렵지 않습니다. 앞서 사용한 READ EML구문
을 다시 보면 아래와 같습니다.

```
READ ENTITIES OF zbr_i_salesorder IN LOCAL MODE
      ENTITY zbr_i_salesorder
      ALL FIELDS WITH
      CORRESPONDING #( keys )
      RESULT DATA(orders).
```

zbr_i_salesorder란 Entity묶음에서 zbr_i_salesorder를 읽어 온다는 구문이 있습니
다. Entity묶음의 이름과 Entity의 이름이 동일하다보니 혼선이 있을 수 있는 구문
입니다. 데이터 모델이 하나의 Entity만 가지고 있는 단순한 형태인데다가,
Behavior에 추가적인 Alias를 주지 않아 생기는 문제입니다.

Composition을 학습할 때 사용했던 Zbr_I_Salesorder_CP에 Unmanaged방식으로
Behavior를 생성해 보겠습니다. define behavior선언시 alias로 이름을 할당하였습
니다.

```
unmanaged implementation in class zbp_br_i_salesorder_cp
unique;
strict ( 2 );

define behavior for Zbr_I_SalesOrder_CP alias Orders
```

```
//late numbering
lock master
authorization master ( instance )
//etag master <field_name>
{
  create;
  update;
  delete;
  association items { create; }
}

define behavior for Zbr_I_SalesOrderItem_CP alias OrderItems
//late numbering
lock dependent by header
authorization dependent by header
//etag master <field_name>
{
  update;
  delete;
  field ( readonly ) sales_order_key;
  association header;
}
```

Behavior가 생성됐으면 Quick Fix기능을 사용해 Implementation Class도 생성합
니다.

```
 [S4D] ZBP_BR_I_SALESORDER_CP ×
 ZBP_BR_I_SALESORDER_CP ▶  LHC_ORDERS ▶
 1 CLASS lhc_orders DEFINITION INHERITING FROM cl_abap_behavior_handler.
 2   PRIVATE SECTION.
 3
 4     METHODS get_instance_authorizations FOR INSTANCE AUTHORIZATION
 5       IMPORTING keys REQUEST requested_authorizations FOR orders RESULT result.
 6
 7     METHODS create FOR MODIFY
 8       IMPORTING entities FOR CREATE orders.
 9
10     METHODS update FOR MODIFY
11       IMPORTING entities FOR UPDATE orders.
12
13     METHODS delete FOR MODIFY
14       IMPORTING keys FOR DELETE orders.
15
16     METHODS read FOR READ
17       IMPORTING keys FOR READ orders RESULT result.
18
19     METHODS lock FOR LOCK
20       IMPORTING keys FOR LOCK orders.
21
22     METHODS rba_items FOR READ
23       IMPORTING keys_rba FOR READ orders\items FULL result_requested RESULT result LINK association_links.
24
25     METHODS cba_items FOR MODIFY
26       IMPORTING entities_cba FOR CREATE orders\items.
27
28 ENDCLASS.
```

Header와 Item이 Composition되어있는 Model을 기반으로 Behavior를 만들었기

때문에 2개의 Entity가 존재하는 BO가 됩니다.

이제 Read구문은 다음과 같이 사용될 수 있습니다. Result데이터를 담는 Internal Table명도 동일하게 orders라고 해도 되지만 명확히 구분하기 위해서 prefix를 주었습니다.

```
READ ENTITIES OF zbr_i_salesorder_cp IN LOCAL MODE
     ENTITY orders
     ALL FIELDS WITH
     CORRESPONDING #( keys )
     RESULT DATA(lt_orders).
```

이제 조금 명확해졌습니다.

1) ENTITIES

Entities인 zbr_i_salesorder_cp는 BO의 ID입니다. BO의 ID는 사실상 Behavior의 ID와 같고 Behavior ID는 Root CDS View와 동일하게 생성되므로 Root CDS View 의 ID와 동일하게 됩니다.

2) IN LOCAL MODE

IN LOCAL MODE는 동일한 BO에서 READ구문을 사용할 때 불필요한 권한 체크 등을 하지 않기 위해 추가하는 구문으로, BO에서 다른 BO를 호출할때는 사용할 수 없습니다.

3) ENTITY

Entity는 Behavior에서 Alias로 지정한 ID인데, Root CDS View나 Root CDS View 와 Composition으로 연결된 하위 CDS View를 Alias로 지정한 명이 됩니다. 여기 서는 Behavior에서 Zbr_I_SalesOrder_CP의 Alias로 지정한 orders입니다.

4) FIELDS

ALL FIELDS 구문은 전체 필드를 가져오겠다는 구문으로, 특정 필드만 추출하기 위 해서는 FIELDS (sales_order_key sales_order_id)와 같이 콤마없이 필드들을 나열 할 수 있습니다.

5) WITH CORRESPONDING | WITH VALUE

CORRESPONDING #(keys)는 Import로 넘겨받은 Table유형의 keys란 Parameter로 조회하겠다는 뜻으로, EML의 READ구문은 Entity의 Key값으로만 검색할 수 있습니다. Key가 아닌 다른 필드로는 검색할 수 없습니다. (만약 필요하다면 CDS View를 직접 Select해야 합니다.) 또한 Key필드가 여러 개 라면 모두 전달해야 합니다.

Managed시나리오에서도 잠깐 언급했지만 값을 직접 전달하여 조회할 수도 있습니다. 아래와 같습니다. zbr_i_salesorder는 Key필드가 2개 이기 때문에 모두 전달해야 정상 조회됩니다.

```
READ ENTITIES OF zbr_i_salesorder
    ENTITY zbr_i_salesorder
    FIELDS ( sales_order_key sales_order_id )
    WITH VALUE #( ( sales_order_key =
                          '69DC682E1C841EEE9CC8B332FCC687D2'
                    sales_order_id = '0500000002' ) )
    RESULT DATA(orders).
```

6) RESULT

조회된 결과 데이터는 RESULT 구문뒤에 Internal Table형태로 반환 받을 수 있습니다. Inline Declaration으로 Internal Table을 선언하면서 받으면 됩니다.

만약 오류나 혹은 기타 다른 추가 메시지를 받기위해서는 FAILED와 REPORTED구문을 사용할 수 있습니다. 아래와 같이 사용할 수 있습니다.

```
READ ENTITIES OF zbr_i_salesorder
    ENTITY zbr_i_salesorder
    FIELDS ( sales_order_key sales_order_id )
    WITH VALUE #( ( sales_order_key =
                          '69DC682E1C841EEE9CC8B332FCC687D2'
                    sales_order_id = '0500000002' ) )
    RESULT DATA(orders)
    FAILED DATA(failed)
    REPORTED DATA(reported).
```

이 EML을 BO에 작성하고 OData API호출등을 통해 호출해 볼수도 있지만, 그러면 Test하기가 번거로우니 ABAP Program에서 EML을 사용해 BO에 접근해 보겠습니다.

아래와 같이 ABAP Program을 생성합니다. BO외부에서 BO에 접근하는 것이니 IN LOCAL MODE구문은 제외합니다.

```
REPORT ybrdtest.
READ ENTITIES OF zbr_i_salesorder_cp
    ENTITY orders
    ALL FIELDS
    WITH VALUE #( ( sales_order_key =
                   '69DC682E1C841EEE9CC8B332FCC687D2' ) )
    RESULT DATA(lt_orders).
```

디버깅을 해보면 lt_orders에 조회된 데이터가 없습니다. sales_order_key값이 맞는지 확인해 보면 존재하는 데이터임에도 조회되지 않습니다. 원인은 BO에 read method가 구현되어있지 않기 때문입니다.

EML을 통해 READ를 하면 BO의 read method를 통해 데이터를 조회합니다. Key 값으로 데이터를 조회하는 것이기 때문입니다. Managed시나리오라면 따로 로직 구현없이도 데이터가 조회되겠지만, 지금 Test해보고 있는 zbr_i_salesorder_cp는 Unmanage시나리오로 구현된 BO이기 때문에 read method를 직접 구현해야 합니다. BO의 Implementation Class로 가서 read method를 아래와 같이 작성합니다.

```
METHOD read.
    SELECT *  FROM zbr_i_salesorder_cp
    FOR ALL ENTRIES IN @keys
    WHERE sales_order_key = @keys-sales_order_key
    INTO CORRESPONDING FIELDS OF TABLE @result.
ENDMETHOD.
```

넘겨받은 key값으로 데이터를 조회하여 result로 반환하는 단순한 로직으로 구현했습니다. 이제 ABAP Program을 다시 실행해 보면 결과 데이터가 담겨있는 것을 확인할 수 있습니다.

7) Read by association

하위 Entity인 items의 데이터도 조회할 수 있습니다. by구문 뒤에 하위 Entity의 경로를 입력하면 됩니다.

```
READ ENTITIES OF zbr_i_salesorder_cp
   ENTITY orders BY \items
   ALL FIELDS
   WITH VALUE #( ( sales_order_key =
                    '69DC682E1C841EEE9CC8B332FCC687D2' ) )
   RESULT DATA(lt_items).
```

당연히 BO의 Implemetation Class에도 해당 로직을 작성해야 합니다. Method들 중에 rba로 시작하는 method입니다. Rba는 read by association의 약자입니다.

```
METHOD rba_items.
   SELECT *
   FROM zbr_i_salesorderitem_cp
   FOR ALL ENTRIES IN @keys_rba
   WHERE sales_order_key eq @keys_rba-sales_order_key
   INTO CORRESPONDING FIELDS OF TABLE @result.
ENDMETHOD.
```

지금 사용하고 있는 EML은 Long Form이기 때문에 여러 Entity를 동시에 조회할 수도 있습니다.

```
READ ENTITIES OF zbr_i_salesorder_cp
   ENTITY orders
   ALL FIELDS
   WITH VALUE #( ( sales_order_key =
                    '69DC682E1C841EEE9CC8B332FCC687D2' ) )
 RESULT DATA(lt_orders)
   ENTITY orders BY \items
   ALL FIELDS
   WITH VALUE #( ( sales_order_key =
                    '69DC682E1C841EEE9CC8B332FCC687D2' ) )
 RESULT DATA(lt_items).
```

8) Link

동시에 조회한 두 Entity는 Link Parameter로 데이터를 연결할 수 있습니다. rba_item method를 아래와 같이 수정합니다.

```
METHOD rba_items.
```

```
    DATA: lt_result TYPE TABLE FOR
          READ RESULT zbr_i_salesorderitem_cp.

    SELECT *
    FROM zbr_i_salesorderitem_cp
    FOR ALL ENTRIES IN @keys_rba
    WHERE sales_order_key EQ @keys_rba-sales_order_key
    INTO CORRESPONDING FIELDS OF TABLE @lt_result.

    LOOP AT lt_result ASSIGNING FIELD-SYMBOL(<ls_result>).
      APPEND VALUE #( source-sales_order_key =
                          <ls_result>-sales_order_key
                      target-item_key  = <ls_result>-item_key )
                      TO association_links.
    ENDLOOP.

    IF result_requested = abap_true.
      result = CORRESPONDING #( lt_result ).
    ENDIF.
  ENDMETHOD.
```

Association으로 연결된 두 Entity에 대한 Key link정보를 association_links에 반환하고, result를 반환해야 하는 경우에만 result를 반환하도록 로직을 변경했습니다.

ABAP Program에서는 Link정보를 가져와 두 Entity데이터를 연결하여 사용합니다.

```
READ ENTITIES OF zbr_i_salesorder_cp
   ENTITY orders
   ALL FIELDS
   WITH VALUE #( ( sales_order_key =
                      '69DC682E1C841EEE9CC8B332FCC687D2' ) )
 RESULT DATA(lt_orders)
   ENTITY orders BY \items
   ALL FIELDS WITH
   VALUE #( ( sales_order_key =
                      '69DC682E1C841EEE9CC8B332FCC687D2' ) )
 RESULT DATA(lt_items)
 LINK DATA(lt_link).

LOOP AT lt_orders ASSIGNING FIELD-SYMBOL(<ls_order>) .
  LOOP AT lt_link ASSIGNING FIELD-SYMBOL(<ls_link>)
            WHERE source-sales_order_key =
                    <ls_order>-sales_order_key.
    LOOP AT lt_items ASSIGNING FIELD-SYMBOL(<ls_item>)
```

```
              WHERE item_key = <ls_link>-target-item_key.
    ENDLOOP.
  ENDLOOP.
ENDLOOP.
```

단순하게 설명하기 위해 3중 LOOP와 WHERE절을 사용했습니다만, 실무에서는
이렇게 사용하지 말고 퍼포먼스를 감안하여 로직을 구성하시기 바랍니다.

2 MODIFY

READ ENTITY는 Entity의 값을 읽어오는 기능 하나만 하지만 MODIFY ENTITY는
입력, 수정, 삭제, Action실행 등 다양한 기능을 합니다.

2.1 UPDATE

가장 단순한 형태로 MODIFY구문을 작성해 보겠습니다.

```
MODIFY ENTITIES OF zbr_i_salesorder_cp
   ENTITY orders
   UPDATE FIELDS ( lifecycle_status ) WITH
   VALUE #( ( sales_order_key =
                   '69DC682E1C841EEE9CC8B332FCC687D2'
             lifecycle_status = 'P' ) ).
```

READ구문과 마찬가지로 Entities로 BO를 지정하고 Entity로 하위 Entity를 지정하
였습니다. 특정 필드만 업데이트 하기 위해 필드를 나열하고, VALUE뒤에 업데이트
할 Instance의 key필드 값과 업데이트 필드 값을 지정했습니다.

ABAP Program을 실행해 보면, 네 동작은 하지만 실제 데이터가 업데이트 되지는
않습니다. zbr_i_salesorder_cp의 update method에 로직이 작성되지 않았기 때문
입니다. Unmanaged시나리오는 직접 로직을 다 작성해 주어야 하기 때문입니다.
앞서 배운 Unmanaged시나리오의 내용을 바탕으로 update method와 save
method를 작성합니다.

Buffer로 사용할 변수는 Global영역에 아래와 같이 선언하고,

```
CLASS zbp_br_i_salesorder_cp
   DEFINITION PUBLIC ABSTRACT FINAL
   FOR BEHAVIOR OF zbr_i_salesorder_cp.
CLASS-DATA : mt_order_create TYPE TABLE FOR CREATE
zbr_i_salesorder_cp,
            mt_order_update TYPE TABLE FOR UPDATE
zbr_i_salesorder_cp,
            mt_order_delete TYPE TABLE FOR DELETE
zbr_i_salesorder_cp.
ENDCLASS.
```

Update method는 아래와 같습니다.

```
METHOD update.
   DATA : ls_order
          LIKE LINE OF
zbp_br_i_salesorder_cp=>mt_order_update.

   LOOP AT entities INTO DATA(entity).
     ls_order = CORRESPONDING #( entity ).
     APPEND ls_order TO
zbp_br_i_salesorder_cp=>mt_order_update.
   ENDLOOP.
ENDMETHOD.
```

다른 로직은 중요하지 않으므로 제거하고 Buffer에 추가하는 로직만 작성했습니다.

save method에도 로직을 작성하겠습니다.

```
METHOD save.
   LOOP AT zbp_br_i_salesorder_cp=>mt_order_update
          ASSIGNING FIELD-SYMBOL(<ls_order_update>).
     UPDATE zsnwd_so
     SET lifecycle_status = <ls_order_update>-lifecycle_status
     WHERE node_key = <ls_order_update>-sales_order_key.
   ENDLOOP.
 ENDMETHOD.
```

이해를 높이기 위해 LOOP안에서 Update구문을 사용했습니다. 실무에서는 이렇게 코딩하시면 안됩니다.

ABAP Program을 실행한 후 Database Table의 데이터를 확인해 보면, 아직도 Table에는 Update가 되지 않은 것을 알 수 있습니다.

2.2 COMMIT ENTITIES

Unmanaged시나리오에서 RAP BO는 Interaction Phase와 Save Sequnce로 구분된다는 설명을 드린적이 있습니다. Modify Entity구문은 Interaction Phase의 update method만을 호출합니다. 그래서 Buffer에는 수정하고자 하는 데이터가 담기지만, Save Sequence가 실행되지 않으므로 실제 Table에는 데이터가 반영되지는 않습니다.

Modify Entity구문뒤에 다시 Read Entity를 해보겠습니다. 그리고 BO의 read method에서 Buffer를 확인하는 로직을 추가해 보겠습니다.

```
METHOD read.
   DATA: lt_result TYPE TABLE FOR
                    READ RESULT zbr_i_salesorder_cp.
   LOOP AT keys ASSIGNING FIELD-SYMBOL(<ls_key>).
     READ TABLE zbp_br_i_salesorder_cp=>mt_order_update
          INTO DATA(ls_order_update)
          WITH KEY sales_order_key = <ls_key>-sales_order_key.
     IF sy-subrc EQ 0.
       APPEND CORRESPONDING #( ls_order_update ) TO result.
     ELSE.
       SELECT *
       FROM zbr_i_salesorder_cp
       WHERE sales_order_key = @<ls_key>-sales_order_key
       APPENDING CORRESPONDING FIELDS OF TABLE @result.
     ENDIF.
   ENDLOOP.
 ENDMETHOD.
```

이제 다시 ABAP Program을 실행해 보면, Table데이터(X)가 아닌 Buffer에 담겨있는 데이터(P)가 Read Entity구문을 통해 조회되는 것을 확인할 수 있습니다.

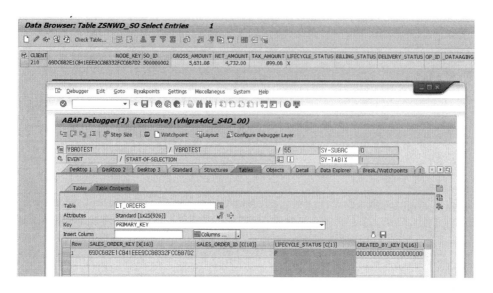

Save Sequence가 실행되어 Database Table에 데이터가 저장되도록 COMMIT
ENTITIES를 추가하고 Read구문이 실행되도록 ABAP Program을 아래와 같이 수
정합니다.

```
MODIFY ENTITIES OF zbr_i_salesorder_cp
  ENTITY orders
  UPDATE FIELDS ( lifecycle_status ) WITH
  VALUE #( ( sales_order_key =
                     '69DC682E1C841EEE9CC8B332FCC687D2'
            lifecycle_status = 'P' ) ).

COMMIT ENTITIES.

READ ENTITIES OF zbr_i_salesorder_cp
  ENTITY orders
  ALL FIELDS WITH
  VALUE #( ( sales_order_key =
                     '69DC682E1C841EEE9CC8B332FCC687D2' ) )
  RESULT DATA(lt_orders).
```

이제 실행해보면 save method를 통해 Table에도 데이터가 저장되고, 저장된 데이
터가 Read Entity구문을 통해 조회되는 것을 확인할 수 있습니다.

2.3 %CONTROL

BO입장에서 자신을 호출하는 로직이 어떤 필드에 대한 MODIFY를 수행했는지 어떻게 알 수 있을까요? 지금은 테스트를 하고 있는 중이니 save method에 update는 lifecycle_status만 한다는 시나리오로 진행되고 있습니다만, 실무에서는 이런경우가 없을 것입니다. EML을 통해 어떤 필드에 대한 MODIFY를 하더라도 BO는 이에 맞춰서 Database Table에 데이터를 반영해 주어야 합니다.

이를 위해 모든 Instance에는 %CONTROL이란 Structure가 포함됩니다.

%CONTROL이란 Structure안에는 모든 필드가 ABP_BEHV_FLAG타입으로 선언되어져 있어, 이 값이 IF_ABAP_BEHV=>MK-ON 또는 IF_ABAP_BEHV=>MK-OFF인 지를 확인하여 처리해야할 필드인지를 확인하게 됩니다.

앞서 학습했던 Unmanaged시나리오는 모든 필드값이 전달된다는 가정하에 작성된 시나리오였기 때문에 그때도 또한, %CONTROL을 감안하지 않았었습니다. %CONTROL에 따라 변경된 값만 수정하도록 해보겠습니다.

우선 save method의 Update로직을 아래와 같이 Internal Table기반으로 Update 되도록 수정합니다.

```
METHOD save.
  IF zbp_br_i_salesorder_cp=>mt_order_update IS NOT INITIAL.
    DATA : lt_update TYPE TABLE OF zsnwd_so.
    lt_update = CORRESPONDING #(
                    zbp_br_i_salesorder_cp=>mt_order_update
                    MAPPING FROM ENTITY ).
    UPDATE zsnwd_so FROM TABLE lt_update.
  ENDIF.
ENDMETHOD.
```

그리고 update method도 %CONTROL값에 따라 필드값을 지정하도록 로직을 변경합니다.

```
METHOD update.
  DATA: lo_struct TYPE REF TO cl_abap_structdescr,
        lt_comp   TYPE abap_component_tab.
  FIELD-SYMBOLS : <lv_abp_behv_flag> TYPE abp_behv_flag,
```

```
                    <lv_field_from>       TYPE any,
                    <lv_field_to>         TYPE any.

    LOOP AT entities INTO DATA(entity).
*Buffer 확인
      READ TABLE zbp_br_i_salesorder_cp=>mt_order_update
                 INTO DATA(ls_order_update)
                 WITH KEY sales_order_key = entity-
sales_order_key.
      IF sy-subrc NE 0.
*Buffer 에 없으면 CDS View 에서 가져오기
        SELECT SINGLE *
        FROM zbr_i_salesorder_cp
        WHERE sales_order_key = @entity-sales_order_key
        INTO CORRESPONDING FIELDS OF @ls_order_update.
      ENDIF.

*필드 구조 추출
      IF lo_struct IS INITIAL.
        lo_struct ?=
cl_abap_typedescr=>describe_by_data( entity-%control ).
        lt_comp = lo_struct->get_components( ).
      ENDIF.

      LOOP AT lt_comp ASSIGNING FIELD-SYMBOL(<ls_comp>).
        ASSIGN COMPONENT <ls_comp>-name
           OF STRUCTURE entity-%control TO <lv_abp_behv_flag>.
*필드별로 변경 Flag 가 표시되어 있으면
        IF sy-subrc EQ 0 AND <lv_abp_behv_flag> IS NOT INITIAL.
*데이터 변경
          ASSIGN COMPONENT <ls_comp>-name
             OF STRUCTURE entity TO <lv_field_from>.
          ASSIGN COMPONENT <ls_comp>-name
             OF STRUCTURE ls_order_update TO <lv_field_to>.
          IF sy-subrc EQ 0.
            <lv_field_to> = <lv_field_from>.
          ENDIF.
        ENDIF.
      ENDLOOP.

      APPEND ls_order_update
         TO zbp_br_i_salesorder_cp=>mt_order_update.
    ENDLOOP.
  ENDMETHOD.
```

이제 테스트해보면 값을 지정하는 필드들은 모두 데이터가 변경되는 것을 확인할

수 있습니다.

BO를 호출하는 곳에서 특정 값을 직접 지정하는 것이 아니라 EML을 통해 Instance전체를 읽어오고 다시 BO로 Instance Table을 전달할 수도 있습니다.

```
READ ENTITIES OF zbr_i_salesorder_cp
   ENTITY orders
   ALL FIELDS WITH
   VALUE #( ( sales_order_key =
                    '69DC682E1C841EEE9CC8B332FCC687D2' ) )
 RESULT DATA(lt_orders).

LOOP AT lt_orders ASSIGNING FIELD-SYMBOL(<ls_order>).
  <ls_order>-lifecycle_status = 'X'.
ENDLOOP.

DATA: lt_update TYPE TABLE FOR UPDATE zbr_i_salesorder_cp.
lt_update = CORRESPONDING #( lt_orders ).

MODIFY ENTITIES OF zbr_i_salesorder_cp
   ENTITY orders
   UPDATE FIELDS ( lifecycle_status )
   WITH lt_update.

COMMIT ENTITIES.
```

2.4 CREATE

Create구문을 통해 새로운 Instance를 생성해 보겠습니다.

```
MODIFY ENTITIES OF zbr_i_salesorder_cp
   ENTITY orders
   CREATE SET FIELDS AUTO FILL CID WITH
   VALUE #( ( sales_order_key =
                    '111111111111111111111111111111111'
             sales_order_id = '1111111111'
             lifecycle_status = 'N' ) )
   MAPPED DATA(lt_mapped)
   FAILED DATA(lt_faild)
   REPORTED DATA(lt_reported).
```
BO에도 create method를 구현합니다.

```
METHOD create.
   LOOP AT entities INTO DATA(entity).
*Buffer 확인
      READ TABLE zbp_br_i_salesorder_cp=>mt_order_create
            TRANSPORTING NO FIELDS
            WITH KEY sales_order_key = entity-sales_order_key.
      IF sy-subrc EQ 0.
        APPEND VALUE #( %cid = entity-%cid
                    %key = entity-%key
                    %fail = VALUE #(
                    cause = if_abap_behv=>cause-unspecific ) )
                    TO failed-orders.
        APPEND VALUE #( %msg = new_message(
                id = '00'
                number = '001'
                severity = if_abap_behv_message=>severity-error
                v1 = 'Data is already exists in the Buffer' ) )
              TO reported-orders.
      ELSE.
*Buffer 에 없으면 CDS View 에서 조회
        SELECT COUNT( * )  INTO @sy-dbcnt
        FROM zbr_i_salesorder_cp
        WHERE sales_order_key = @entity-sales_order_key.

        IF sy-dbcnt > 0.
          APPEND VALUE #( %cid = entity-%cid
                    %key = entity-%key
                    %fail = VALUE #(
                    cause = if_abap_behv=>cause-unspecific ) )
                TO failed-orders.
          APPEND VALUE #( %msg = new_message(
                id = '00'
                number = '001'
                severity = if_abap_behv_message=>severity-error
                v1 = 'Data is already exists in the Table') )
                TO reported-orders.
        ELSE.
          APPEND entity
             TO zbp_br_i_salesorder_cp=>mt_order_create.
        ENDIF.
      ENDIF.
   ENDLOOP.
 ENDMETHOD.
```

save method에 Create관련 로직을 추가합니다.

```
METHOD save.
   IF zbp_br_i_salesorder_cp=>mt_order_update IS NOT INITIAL.
     DATA : lt_update TYPE TABLE OF zsnwd_so.
     lt_update = CORRESPONDING #(
                      zbp_br_i_salesorder_cp=>mt_order_update
                      MAPPING FROM ENTITY ).
     UPDATE zsnwd_so FROM TABLE lt_update.
   ENDIF.
   IF zbp_br_i_salesorder_cp=>mt_order_create IS NOT INITIAL.
     DATA : lt_create TYPE TABLE OF zsnwd_so.
     lt_create = CORRESPONDING #(
                      zbp_br_i_salesorder_cp=>mt_order_create
                      MAPPING FROM ENTITY ).
     INSERT zsnwd_so FROM TABLE lt_create.
   ENDIF.
 ENDMETHOD.
```

테스트해 보면 데이터가 정상적으로 저장되는 것을 확인할 수 있습니다.

1) SET FIELDS

Update의 경우 전체 필드가 아닌 몇몇 필드의 값만 Update하는 경우가 많습니다. 그러다 보니 EML구문에서도 UPDATE FIELDS (FIELD1 FIELD2)와 같이 실제 Update할 필드만 지정해 주었었습니다. Create도 Update와 동일하게 필드를 직접 지정할 수도 있지만, 보통 생성의 경우는 전체 필드를 다 전달하기 때문에 SET FIELDS구문을 사용합니다.

2) AUTO FILL CID

Late Numbering등 Key값이 나중에 생성되는 경우를 위해 RAP는 %CID라는 내부적인 Key 필드를 사용합니다. 필요한 경우 직접 %CID를 전달할 수도 있지만 AUTO FILL CID구문을 이용해 자동 채번되게 할 수 있습니다.

3) MAPPED

Early Numbering을 통해 BO가 생성한 Key값을 받아오기 위해 사용되는 파라미터입니다. Mapped에는 %CID와 Key필드값이 매핑되어져 있습니다.

4) FAILED

오류 여부를 받아오기 위한 파라미터입니다. Failed값을 기반으로 요청이 실패했는지 성공했는지를 구분할 수 있습니다.

5) REPORTED

결과 메시지를 받아오기 위한 파라미터입니다. 오류로 인해 Failed에 값이 넘어온다 하여도 상세 내역은 Reported를 통해 받아와야 합니다.

2.5 DELETE

DELETE구문으로 Instance를 삭제할 수 있습니다.

```
MODIFY ENTITIES OF zbr_i_salesorder_cp
   ENTITY orders
   DELETE FROM
   VALUE #( ( sales_order_key =
                  '11111111111111111111111111111111' )
 )
   FAILED DATA(lt_faild)
   REPORTED DATA(lt_reported).
```

Read나 Update와 마찬가지로 Key값을 기반으로만 Instance를 삭제할 수 있습니다. BO에 delete method를 구현합니다.

```
METHOD delete.
    LOOP AT keys INTO DATA(key).

*Buffer 삭제
      DELETE zbp_br_i_salesorder_cp=>mt_order_create
            WHERE sales_order_key = key-sales_order_key.

      DELETE zbp_br_i_salesorder_cp=>mt_order_update
            WHERE sales_order_key = key-sales_order_key.

*Buffer 추가
      APPEND CORRESPONDING #( key )
            TO zbp_br_i_salesorder_cp=>mt_order_delete.
    ENDLOOP.
  ENDMETHOD.
```

Save method에도 Delete관련 로직을 추가합니다.

```
METHOD save.
…
   IF zbp_br_i_salesorder_cp=>mt_order_delete IS NOT INITIAL.
     DATA : lt_delete TYPE TABLE OF zsnwd_so.
     lt_delete = CORRESPONDING #(
                     zbp_br_i_salesorder_cp=>mt_order_delete
                     MAPPING FROM ENTITY ).
     DELETE zsnwd_so FROM TABLE lt_delete.
   ENDIF.
 ENDMETHOD.
```

**이 책의 내용을 따라 구현한 순서에 따라 zsnwd_so테이블에 sales_order_id필 드까지 Key로 지정되어져 있을 수 있습니다. 이러한 경우 CDS View에도 sales_order_id가 key로 지정되어져 있어야 하고, 모든 key값을 EML을 통해 전달 해야만 정상 동작 합니다.

2.6 ACTION

BO의 Action도 MODIFY구문을 통해 호출할 수 있습니다. 기존에 Managed시나 리에때 사용했던 set_status_progress action을 호출하는 것으로 테스트해 보겠습 니다.

```
DATA: lt_action_param TYPE TABLE FOR ACTION IMPORT zbr_i_saleso
rder~set_status_progress.

READ ENTITIES OF zbr_i_salesorder
   ENTITY zbr_i_salesorder
   ALL FIELDS WITH
   VALUE #( ( sales_order_key =
                     '69DC682E1C841EEE9CC8B332FCC687D2'
             sales_order_id = '0500000002' ) )
 RESULT DATA(lt_orders).
lt_action_param = CORRESPONDING #( lt_orders ).
MODIFY ENTITIES OF zbr_i_salesorder
   ENTITY zbr_i_salesorder
   EXECUTE set_status_progress FROM lt_action_param
   MAPPED DATA(lt_mapped)
   FAILED DATA(lt_faild)
   REPORTED DATA(lt_reported).
COMMIT ENTITIES.
```

set_status_progress는 Instance Action이므로 READ를 통해 대상 Instance를 읽

어와 파라미터로 전달했습니다.

**Behavior Definition에서 set_status_progress에 feature control을 지정했기 때문에 get_instance_features method를 먼저 수행하게 되므로 lifecycle_statut값이 P인 Instance를 전달하면 Failed에 오류가 반환되니 이점 주의하시기 바랍니다.

3 Long Form, Short Form

지금까지 EML은 Long Form만 다루었습니다. Long Form은 BO명과 Entity를 모두 작성해야 하는 번거로움이 있는 대신, 여러 Entity를 동시에 처리할 수 있다는 장점도 있습니다.

READ구문을 Short Form으로 사용하면 아래와 같습니다.

```
READ ENTITY zbr_i_salesorder_cp
   ALL FIELDS WITH
   VALUE #( ( sales_order_key =
                      '69DC682E1C841EEE9CC8B332FCC687D2' ) )
 RESULT DATA(lt_orders).
```

따로 BO와 Entity를 구분하지 않고, BO를 Entity로 지정하면 해당 BO의 Root Entity에 접근합니다.

하위 Entity를 조회하고 싶은경우는 아래와 같이 사용할 수 있습니다.

```
READ ENTITY zbr_i_salesorder_cp BY \items
   ALL FIELDS WITH
   VALUE #( ( sales_order_key =
                      '69DC682E1C841EEE9CC8B332FCC687D2' ) )
 RESULT DATA(lt_items).
```

그외 EML에 대한 자세한 사항은 아래 링크나 help.sap.com을 통해 학습하시길 권장 드립니다.

https://github.com/SAP-samples/abap-cheat-sheets/blob/main/08_EML_ABAP_for_RAP.md

7장. Fiori Launchpad

Fiori의 핵심 요소중의 하나는 Fiori Launchpad입니다. Fiori App들은 Fiori Launchpad를 통해서 하나의 Component로써 동작합니다. Fiori Launchpad는 모든 Fiori App을 품는 통합 환경이며 사용자들의 Single Entry Point입니다. 개발자는 Fiori Launchpad가 있기 때문에 Single Sign On을 포함한 계정 관리, 권한 관리, 사용자 설정 관리 등에 얽메이지 않고 개별 Fiori App 개발에만 집중할 수 있습니다

SAPUI5란 개발언어로 만들어진 App중 Stand alone이 아닌 Fiori App은 독립적으로 실행될 수 없습니다. 반드시 Fiori Launchpad를 통해서만 실행이 가능합니다. Fiori App이냐 SAPUI5 App이냐를 구분하는 기준은 Fiori Launchpad안에서 (Embeded) 실행 되는냐 단독으로 실행되느냐의 차이 입니다.

배포된 Fiori App을 Fiori Launchpad에 등록해 보겠습니다.

우선 Fiori Launchpad에 접속합니다. Fiori Launchpad는 Tcode /UI2/FLP를 통해 접속할 수 있습니다. 브라우저를 통해 실행되기 때문에 Fiori Launchpad의 접속 URL을 저장해 두었다가 브라우저를 통해 직접 접근할 수도 있습니다.

만약 Fiori Launchpad가 실행되지 않는다면 Basis의 도움을 받아 Initial Setting을 먼저 하시기 바랍니다. 또한, Fiori Launchpad에 Fiori App을 등록하기 위해서는

Fiori 관리자 권한이 필요합니다. SAP Role SAP_FLP_ADMIN을 할당 받아야 합니다.

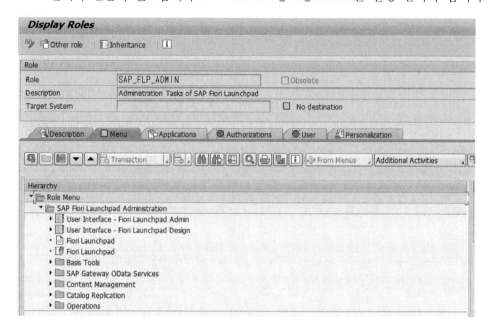

Fiori 관리자 권한을 할당 받았으면 이제 Fiori Launchpad로 이동합니다.

1   Tile Catalog

Tile Catalog는 SAP시스템에 배포된 Fiori App들의 묶음을 정의합니다. Tile Catalog에 Fiori App들을 등록하고, 이 Tile Catalog를 다시 SAP Role에 Assign하여 권한관리를 하게 됩니다.

Tile Catalog에 Fiori App을 등록할 때는 우선 Target Mapping(TM)을 생성하여 Semantic Object와 Action을 지정하게 되는데, 이 Semantic Object와 Action이

향후 Fiori App 접속 URL로 사용됩니다. 그리고 이 Target Mapping을 Launchpad에 표현하기위한 Tile도 Tile Catalog에 등록합니다.

Tile Catalog는 2가지 유형이 있습니다. Technical Catalog(TC)와 Business Catalog(BC)입니다.

1) Technical Catalog: TC에는 기능단위로 TM과 Tile들을 등록합니다. 예를 들면 Sales Order와 관련된 Fiori App들이 될 수 있습니다. Order Create App, Order Display App, Order Cancel App, 분석 리포트, 채권 현황 조회, 여신 조회, 재고 조회 등입니다.

2) Business Catalog: BC에는 업무단위별로 TM과 Tile들을 TC로부터 Reference 하여 등록합니다. 예를 들면 영업사원용 BC를 만들어서 Sales Order TC로부터 Order Create App, Order Display App, 재고 조회 App등을 Reference합니다. 영업 팀장용 BC에는 Order Display App, 분석 리포트, 채권 현황 조회등을 Reference할 수 있습니다.

SAP Role에는 TC가 아닌 BC를 Assign합니다. 결과적으로 TC는, SAP Role별로 BC를 만들기 위한 기반 작업으로 생각할 수 있습니다.

TC는 이후 설명할 Launchpad App Manager에서 생성한 후 TM과 Tile을 등록하고, BC는 Launchpad Content Manager에서 생성하고 TC의 TM과 Tile을 Reference합니다.

2   Tile Group

Tile Catalog에 등록된 Tile을 Fiori Launchpad에 어떻게 표시할지를 정하는 것이 Tile Group입니다. 쉽게 말해 Menu를 구성하는 것이라 생각하면 쉽습니다.

Tile Group은 Launchpad Designer에서 생성한다음 BC의 Tile을 Reference하고, SAP Role에 Assign되어 사용자에게 할당됩니다.

3 Spaces and Pages

초창기 Fiori Launchpad는 Tile Group으로만 화면 구성을 하였습니다. 그러다 보니 사용자가 사용할 수 있는 메뉴가 1Level로만 구성되었습니다. 하지만 S4HANA2020버전부터 Space와 Page기능이 도입되었습니다.

이제 사용자는 Space라고 하는 1Level 메뉴 폴더 하위에 Page라는 2Level 폴더를 가지고, 그 하위에 Selection이라는 Tile 묶음을 사용할 수 있게 되었습니다. 이로써 총 3Level로 메뉴 구성이 가능합니다.

아래 그램에서 General Ledger는 Space이고, 하위에 총 5개의 Page를 가지고 있습니다. (Overview~Tax Declaration) Overview Page에는 Section으로 구분된 Tile 묶음이 있는데, General Ledger Insights라는 Section에는 총 2개의 Tile이 구성되어져 있는 것을 확인할 수 있습니다.

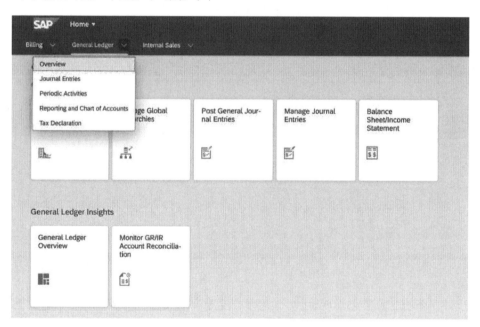

4   Launchpad App Manager

Launchpad App Manager는 Technical Catalog(TC)를 생성하고 Target Mapping(TM)과 Tile을 등록하는 프로그램입니다. 예전에는 Launchpad Designer 에서 Catalog를 생성하고 TM과 Tile을 등록했지만 좀 더 일괄 처리할 수 있는 형태의 프로그램인 Launchpad App Manager를 사용하면 TC를 쉽게 관리할 수 있습니다.

Fiori Launchpad에서 Launchpad App Manager Tile을 클릭하여 Launchpad App Manager를 실행합니다.

Grid상단에 New Standard Catalog버튼을 클릭하여 신규 Catalog를 생성합니다.

New Standard Catalog

Technical Catalog ID:*	ZTC_BRD
Language:*	English
Technical Catalog Title:*	BRD Test
Package:	$TMP
Transport Request:	

Create empty technical catalog only: ☐

Save   Local Object   Cancel

신규 App의 정보를 추가합니다. Read-Only Report App인 zbr_f_sales를 등록해

보겠습니다. Grid상단에 Add App버튼을 눌러 SAPUI5 Fiori App을 선택합니다.

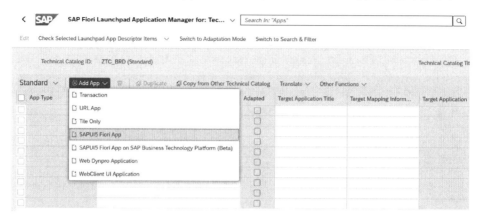

Grid에 직접 정보를 입력해도 되고, 하단에 상세 데이터 입력 화면에서 정보를 입력해도 됩니다.

Semantic Object는 SalesOrder로 하고 Action은 manage로 하겠습니다.

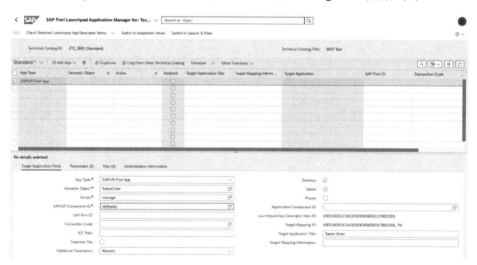

SAPUI5 Component ID에는 Target이 되는 Fiori App의 ID를 입력합니다. Manifest.json파일에 sap.app.id값을 입력해야 합니다.

Title은 Sales Order를 입력했습니다.

하단의 상세 화면에서 Tiles탭으로 이동합니다.

정확한 SAPUI5 Component ID를 입력했다면 해당 App의 Description을 가져와 Tile을 자동으로 만들어 줍니다. 그대로 두고 저장하겠습니다.

TC를 하나 만들고 거기에 Fiori App에 대한 TM과 Tile을 등록했습니다. 필요에 따라 TC에 TM과 Tile을 추가로 등록하면 됩니다.

5 Launchpad Content Manager

Business Catalog(BC)도 새로 만들어서 TC에 등록한 TM과 Tile을 Reference하도록 하겠습니다. Launchpad Content Manager를 실행하고 상단 Grid에 Create버튼을 클릭하여 신규 BC를 생성합니다.

Search Catalogs에 TC명을 넣고 검색합니다.

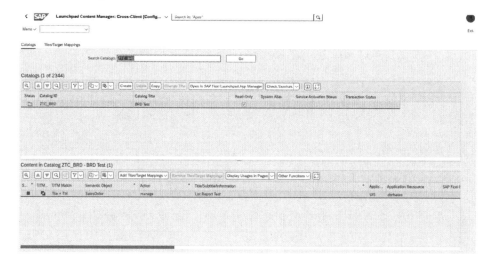

아래 Grid에서 Reference할 Tile+TM을 선택하고 상단에 Add Tiles/Target Mappings를 클릭합니다.

BC명을 검색하고 Add Tile/TM Reference버튼을 눌러 TC에 있는 TM과 Tile을 BC 로 Reference합니다.

6 Launchpad Designer

이전에는 Launchpad Designer에서 Tile Catalog도 생성하고 TM과 Tile도 등록했었습니다. (현재도 기능상으로는 가능합니다.) 하지만 Launchpad Designer를 실행하면 화면 상단에 새로운 Tool인 App Manager와 Content Manager를 사용하라는 Notes가 출력 됩니다.

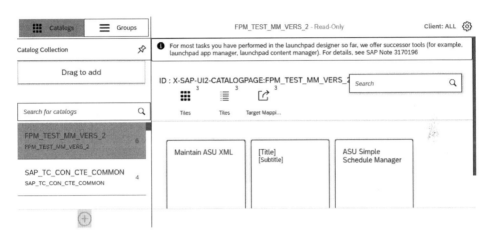

Note의 가이드 대로 Launchpad Designer에서는 Tile Group과 관련된 설정만 하도록 하겠습니다.

왼쪽 상단 탭에서 Groups를 클릭하여 Group설정 화면으로 이동한 뒤 하단에 + 버튼을 눌러 신규 Tile Group을 생성합니다.

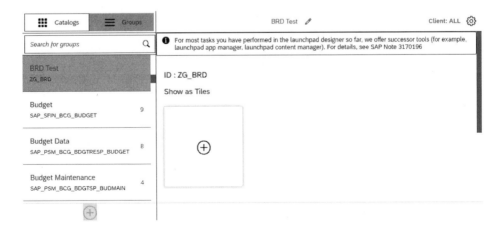

오른쪽에 신규 타일 등록 버튼을 클릭해 BC를 찾아 Tile을 추가합니다. TC가 아니라 BC에 있는 Tile을 등록해야 합니다.

7 권한관리

SAP Role에 Business Catalog(BC)과 Tile Group or Space를 Assign함으로써 사용자에게 해당 App실행 권한을 줄 수 있습니다.

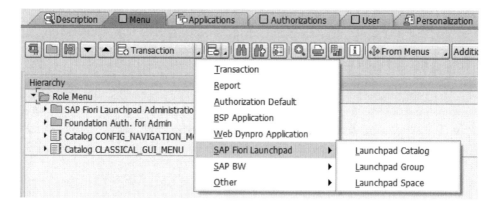

Menu->SAP Fiori Launchpad에서 Launchpad Catalog와 Launchpad Group을 등록합니다. Launchpad Catalog에는 BC를 입력하도록 합니다.

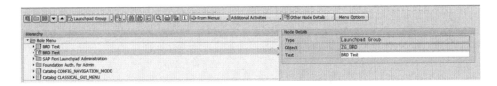

이제 Fiori Launchpad를 실행해 보면 아래와 같이 Tile Group에 Fiori App이 등록된걸 확인해 볼 수 있습니다.

8 Cross Client & Client Specific

Fiori Launchpad구성을 위한 App을 보면 Launchpad App Manager는 아니나 Launchpad Content Manager와 Launchpad Designer는 Cross Client와 Client Specific이 나누어져 있습니다.

각각의 App에서 Launchpad를 구성할 경우, Cross Client는 Workbench Request 에 묶이고, Client Specific은 Customizing Request에 묶이게 됩니다.

아래 이미지는 SAP의 Best Practice for Managing Catalog를 도식화한 것으로, 파란색 CONF가 Cross Client 영역이고, 노란색 CUST가 Client Specific영역입니다. 즉, Cross Client에서 TC를 생성하여 Client Specific의 BC로 TM과 Tile들을 Reference하라는 내용입니다.

사용자 Role에는 Client Specific영역의 BC를 Assign함으로써 Client별 권한 관리
가 이루어 집니다.

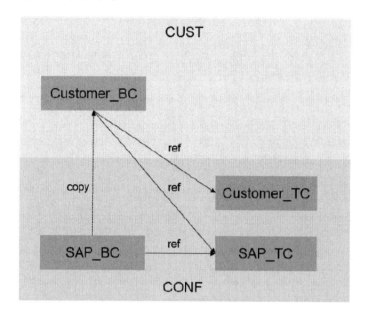

Launchpad App Manager는 TC를 관리하는 App이기 때문에 Client Specific이 따
로 없는 것이고, Launchpad Content Manager나 Launchpad Designer는 Client별
로 관리를 해야 하는 경우가 있기 때문에 Client Specific이 구분되어져 있는 것입
니다.

만약 여러분 회사 SAP시스템이 Client별로 나누어지지 않고 하나만 사용한다면,
Cross Client로만 작업해도 무관합니다.